COLLECTION MONDE NOIR POCHE
sous la direction de Jacques Ch...
avec la collabor...

Le boucher de Kouta

MASSA MAKAN DIABATÉ

roman

© HATIER-PARIS - juin 1982
Reproduction interdite sous peine de poursuites judiciaires
ISBN 2 218 06191 0

Du même auteur

Si le Feu s'éteignait : Éditions Populaires du Mali.

La Dispersion des Mandeka : Éditions Populaires du Mali.

Kala Jata : Éditions Populaires du Mali.

Janjon et autres chants populaires du Mali : Éditions Présence Africaine (Grand Prix Littéraire d'Afrique Noire, 1971).

La Mort d'Ahmadou : Pièce radiophonique (Prix de l'URTNA, 1969).

Une si belle Leçon de Patience : Éditions Radio-France (Primé au Concours théâtral interafricain, 1970).

L'Aigle et l'Épervier : Éditions Harmattan, 1970.

Première Anthologie de la Musique Malienne (réalisation) : Éditions Bärenreiter. Prix Edison de Musique.

Le Lieutenant de Kouta : Éditions Hatier (collection « Monde Noir »).

Le Coiffeur de Kouta : Éditions Hatier (collection « Monde Noir Poche »).

Comme une Piqûre de Guêpe : Éditions Présence Africaine.

Et la tradition malienne dit : « Le monde est une maison qui n'a ni portes ni fenêtres. Et seuls se voient coincés dans cette immense demeure ceux qui essaient d'en sortir en emportant la part des autres. La part des autres ? C'est leurs défauts. »

Croyants ! évitez de vous laisser trop aller aux soupçons. Il est des soupçons qui sont de vrais péchés. Ne vous épiez pas ! Ne médisez pas les uns des autres. L'un de vous voudrait-il jamais se repaître de la chair de son frère mort ? Non, vous en auriez horreur. Ainsi en est-il de qui médit de son prochain.

Le Coran, chapitre XLIX : « Les Appartements »
Traduit par Sadok Mazigh-
« Maison Tunisienne de l'Édition »

*   *

*

A Jacqueline Sorel,
Michel Verret
et Henri Lopès

Avertissement

L'auteur a repris dans *Le Boucher de Kouta* les mêmes personnages qu'il avait mis en scène dans *Le Lieutenant de Kouta,* et *Le Coiffeur de Kouta* parus aux Éditions Hatier.

Principaux personnages

Namori : le boucher attitré de Kouta.

Solo : aveugle, ami d'enfance de Namori.

Le Vieux Soriba : commerçant, ami d'enfance de Namori.

Daouda : commerçant, ami d'enfance de Namori.

Doussouba : seconde épouse de Namori.

L'Imam : chef religieux de la communauté musulmane.

Le Père Kadri : curé de la paroisse de Bangassi.

Kompè : coiffeur attitré de Kouta.

Bamba : crieur public.

Togoroko : l'idiot du village.

Magandian Camara : beau-père de Namori.

Birama l'Applaudisseur : ami de Kompè.

Tanga : vedette de la chanson, fils du Vieux Soriba.

Cheickh Diawara : ancien commandant du cercle de Kouta.

N'dogui : réparateur de bicyclettes.

N'godé : infirmier du dispensaire de Kouta.

Lieutenant Siriman Keita : ancien militaire, décédé.

Bertin : ancien administrateur colonial.

I

Le Vieux Soriba somnole dans son vestibule, couché sur un tara*. De temps à autre, il se retourne et chasse de la main une mouche qui lui bourdonne à l'oreille. Et comme elle n'arrête pas de l'importuner, il se réveille, s'étire longuement en faisant craquer ses articulations. Il met le transistor en marche et apprend qu'il est midi. « Midi ! l'heure du déjeuner », soupire le Vieux Soriba.

Autrefois, avant cette sécheresse, pour lui, manger c'était moins se nourrir que satisfaire à des rites. Il enlevait son boubou et son turuti*, s'asseyait sur son tara et ses trois femmes venaient à lui, chacune ayant un rôle bien défini : celle qui était de cuisine retirait les petits graviers qu'elle n'avait pu vanner ; une autre, maîtresse de la sauce, désossait les morceaux de viande et la troisième le rafraîchissait en agitant un éventail. Et quand, pour avoir pris une poignée trop grosse, il s'étranglait, elles se précipitaient toutes en même temps vers la jarre d'eau. Et bien souvent le Vieux Soriba simulait de s'étrangler pour prendre plaisir à leur empressement. Il admirait alors trois croupes plantureuses, en suspendant le va-et-vient de sa main à sa bouche, un sourire au bord des lèvres.

* Lit de bambous entrelacés.

* Tunique qui se met sous le grand boubou.

Le Vieux Soriba sort un miroir de sa poche et se contemple longuement. « Pourquoi m'appelle-t-on Vieux Soriba ? » se demande-t-il. Il n'est pas plus âgé que Solo, Daouda ou Namori puisque, nés la même année, ils avaient été circoncis le même jour et avec le même couteau.

Depuis quelque temps, cette marque de respect lui pèse. Solo, l'aveugle colporteur de scandales, Namori le boucher et Daouda, ses frères de case eux-mêmes, l'appellent : « Vieux Soriba », parce qu'il a précocement blanchi.

Il est vrai aussi que du temps de la colonisation, du travail forcé et des réquisitions, un fils de chien d'administrateur du nom de Jacques-Hugues-Gontran Bertin, un faux Blanc, un albinos de malheur, trousseur invétéré de jeunes filles aux seins frêles comme des bourgeons, un garçonnet qui aurait dû sentir le lait maternel, mais véritablement plus effronté qu'un bouc en rut, lui avait expédié — par jalousie, oui, par jalousie ! — son brodequin à un endroit très sensible. Le Vieux Soriba avait poussé le hurlement d'un phacochère qu'on saigne avant de s'évanouir... Sa démarche s'était alors alourdie comme celle d'un taureau éreinté pour avoir monté trop de génisses. Peut-être son surnom : « Vieux Soriba » lui venait-il de là ?

Assis sur un tara, le Vieux Soriba se regarde dans son miroir, contemple ses rides l'une après l'autre. Et comme le miroir lui dit des choses désagréables, il le remet dans sa poche.

Le transistor diffuse une chanson, et une vieille rancœur prend le Vieux Soriba au bas-ventre : c'est Tanga, son fils, qui chante ses dernières compositions. Tanga, la grande vedette de la chanson darakoise. « Tanga, c'est du liquide perdu, se dit le Vieux Soriba. En donnant le jour à Tanga, j'ai gaspillé un don précieux. Et pour sûr ! j'en répondrai devant Dieu, au jour du jugement dernier. »

Le Vieux Soriba avait voulu faire de Tanga le gardien de ses ânes, comme lui-même avait conduit ceux de son père au pâturage. Le jeune garçon s'était plié à sa volonté. Et pour tromper sa solitude dans les collines qui bordent Kouta, il s'était confectionné une flûte dont il tirait de très beaux accords. Pingouin, un jeune étudiant en médecine, l'avait initié à la guitare. L'orchestre local lui fit alors une place parmi ses musiciens dirigés par Kompè, le coiffeur du village. Au cours d'une Biennale des Arts, Tanga retint toute l'attention du Ministre de la Culture. Analphabète, on lui offrit un poste de planton à la Direction Générale de la Jeunesse et des Sports où il venait pointer comme d'autres musiciens et footballeurs, aussi analphabètes que le piquant d'un porc-épic.

Quelques années plus tard, Tanga avait arrangé des airs traditionnels et les exécuta avec brio lors d'un gala offert par le Président de la République à un hôte de marque. Le responsable suprême, Père de la Nation, pleura, secoué par l'évocation de sa haute lignée. Les ministres

9

sortirent leur mouchoir comme pour essuyer une larme. Et l'on dut hospitaliser le chef du protocole, saisi de tremblements incontrôlés et comme envoûté. Les médecins du cerveau, après visite et contre-visite, affirmèrent qu'il était trop sensible à la personne du Président Bagabaga Daba*. A sa sortie de l'hôpital, on le nomma « Ambassadeur Extraordinaire et Pléni-potentiaire » à Pékin, avec l'autorisation de venir à Darako quand il le voulait et sans en référer au Ministre des Affaires Étrangères qui salua cette décision humanitaire du Père de la Nation en couvrant le chef du protocole de tou-tes les qualités qu'on pouvait attendre d'un bon militant.

A compter de ce jour, la renommée de Tanga s'était établie dans toute la République de Darako, laissant loin derrière lui celle des autres militants : crieurs de slogans révolutionnaires, indicateurs de police, passeurs à tabac et minis-tres. A lui seul, il mangea la moitié des fonds secrets de la Présidence.

Au début de sa carrière, Tanga avait satisfait à toutes les exigences de son père. Il refit le toit de la vieille maison paternelle et donna ce qu'il fallait pour construire une nouvelle terrasse*.

Le Vieux Soriba ne voulait pas recevoir d'argent par un intermédiaire venant de Darako. Il avait demandé à Tanga de lui adres-

* Littéralement : fourmi à la grande bouche.

* C'est ainsi qu'on désigne au Mali les maisons qui ont un toit en terrasse.

ser des mandats : « Ainsi les ennemis de notre famille crèveront de jalousie », avait-il dit.

Mais les demandes du Vieux Soriba étaient devenues plus contraignantes. Il avait même exigé que son fils lui donnât la moitié de ses cachets après chaque gala. Le jeune homme accepta. Et pour le tenir sous le joug, son père lui choisit une femme. C'est alors que Tanga se rebella et rompit tout lien.

Le Vieux Soriba éteint le transistor pour ne plus entendre la voix de ce « fils - liquide - perdu ». Puis, il s'allonge sur le tara, ferme les yeux comme pour s'endormir. Amy, sa première femme, entre dans le vestibule avec le repas de midi. Le Vieux Soriba se redresse, soulève le couvercle du plat et fait une moue dégoûtée : il a vu une sauce claire, sans gombo ni ces aubergines vertes qu'il prise tant ; et comme pour sécher son cœur, une farine de sorgho rouge, tel le derrière d'un singe rouge, offerte par les Américains aux pays frappés par la sécheresse.

Depuis que Dieu s'était détourné de la République de Darako en lui coupant les pluies, le Vieux Soriba s'abstenait d'assister aux nombreux baptêmes qui avaient lieu à Kouta. Puisqu'on ne tuait plus un mouton pour célébrer l'événement, il appelait tous les nouveaunés « enfants des sauces claires ».

— Amy ! crie le Vieux Soriba.

La femme s'immobilise, sans se retourner, comme si elle savait à l'avance ce que son mari avait à dire.

— Amy, nous aurions dû, à sa naissance, jeter Tanga parmi les orties et les piquants avant de le livrer aux mouches, sur un tas d'immondices à la sortie du village.

— Tu dis vrai, approuve la femme.

— Amy ! se lamente le Vieux Soriba, c'est à Tanga que je dois la bien funeste appellation de « Vieux Soriba ». Et si ton fils-désespoir-de-son-père, qui t'envoie des cadeaux sous le boubou, eh bien, s'il vient à Kouta après ma mort, que personne ne le conduise sur ma tombe. M'entends-tu ? Amy, que Tanga ignore, à tout jamais, où mes vieux os seront rassemblés, lui qui a refusé de prendre soin de ma chair.

— Il sera fait selon ta volonté, répond la femme d'une voix lasse.

— Amy ! hurle le Vieux Soriba, que Tanga, ton fils, soit frappé subitement de la maladie des doigts écartés, au cours d'un grand gala au palais de la Présidence. Qu'il devienne aphone, ou alors que son cerveau, l'envers à la place de l'endroit, lui dicte des injures très graves contre le Père de la Nation et qu'on le confie à un tortionnaire atteint de surdité.

— Astafurulaye* ! dit la femme, trois fois, en se retirant.

*

* Ici, formule pour congédier le mauvais sort.

12

Voici que par la canicule de midi, passe Namori le boucher, depuis le Pont Dotori jusqu'à la mosquée, appliquant à sa bicyclette toute la puissance de ses mollets.

Et il vocifère : « De qui se moque-t-on ? L'âne est bien patient, mais à tirer sur sa queue il y a une limite. »

Aux salutations des uns, aux autres qui lui demandent la raison d'un tel accès de colère, il répond inlassablement : « De qui se moque-t-on ? L'âne est la patience même ; mais à tirer sur sa queue... »

Kompè, le coiffeur, sort du hangar maudit avec tous ses amis, et ils suivent du regard le boucher qui s'en va en hurlant : « De qui se moque-t-on ? Tirer sur la queue d'un âne... »

— Cette colère est un pet de bourrique comprimé, ricane Birama l'Applaudisseur, et je parie qu'elle éclatera dans le vestibule du Vieux Soriba.

N'dogui, le lépreux réparateur de bicyclettes, fait remarquer au boucher que, depuis près d'un an, la jante de son vélo frotte contre la fourche arrière et qu'il peut corriger cette anomalie. Pour toute réponse : « De qui se moque-t-on ? » crie Namori.

Les anciens réunis à l'ombre de la mosquée lui disent que le cœur n'est pas bon, qu'il faut le reposer et le refroidir sans cesse. L'Imam ajoute que la colère même juste déforme les choses et qu'il ne faut rien aborder avec un gros cœur, un cœur déraisonnablement irrigué.

— De qui se moque-t-on ? hurle le boucher. Tirer sur la queue dè l'âne passe encore... Commandant Jacques-Hugues-Gontran Bertin, que fais-tu de l'autre côté de la mer quand, ici, à Kouta, on a grand besoin de toi, chaussé de brodequins !...

— Cette querelle appartient au Vieux Soriba ! s'exclame l'un des anciens. Cette querelle est au Vieux Soriba comme l'esclave possède, en bien propre, sa petite incantation magique.

— Et qui se mêle d'un différend entre ces deux-là embrasse une bien mauvaise querelle, opine un autre. Ils entretiennent leur fraternité de case par des disputes pour se prouver l'un à l'autre qu'ils sont encore jeunes. Et si, demain, Namori s'en allait dans l'autre monde, le Vieux Soriba le suivrait sans regretter ses ânes, ses femmes, son petit commerce de tissus et de grains et sa contrebande de cartouches.

— De qui se moque-t-on ? vocifère le boucher non loin de la maison du Vieux Soriba. Tirer sur la queue de l'âne comme si on voulait l'arracher, et s'étonner qu'il rue ?...

— Et qui est assez fou pour s'immiscer dans une telle querelle ? répond Solo se dirigeant vers le marché. Sait-on comment elle prendra fin ? Et sitôt réconciliés vous vous liguerez contre celui qui aura rendu la sentence. Namori a raison, et le Vieux Soriba n'a pas tort.

Le Vieux Soriba perçoit des cris et des menaces. Il entend un bruit familier : le frottement d'une jante de vélo contre une fourche. Il met le transistor en marche, ferme les yeux et simule un sommeil profond. Namori jette sa bicyclette contre la palissade et fait irruption dans le vestibule.

— Assalamalekoum* ! dit-il, une, deux fois. Le Vieux Soriba ne répond pas.

— Que tu sois malade ou mourant, si l'on te souhaite la paix du Prophète — que son nom soit vénéré — il faut répondre ! hurle le boucher.

— Whalekoumsala* ! murmure le Vieux Soriba.

— Toi qui élèves des ânes, dit Namori en menaçant de l'index, toi qui les connais si bien, tu dois savoir qu'à tirer sur leur queue il y a une limite. Eh bien, depuis ce matin j'attends que tu viennes t'acquitter de ta dette : sept kilos de jarret à trois cent trente francs.

— Et moi-même ! s'énerve le Vieux Soriba en se mettant debout, et moi-même je dis qu'il est interdit aux musulmans de réclamer leur dette à midi. Et c'est écrit ! C'est écrit dans le Coran... ou dans les hadiths : « Croyants ! réclamez le paiement de vos créances avec douceur. Ô ! musulmans, évitez d'exiger le remboursement de votre dû pendant les heures chaudes de la journée. En vérité, le croyant qui profite de la tombée du jour pour demander,

* Que la paix de Dieu soit sur vous !
* Qu'il vous donne la paix à vous aussi !

discrètement, sans cris ni témoins, l'acquittement de sa dette est en parfait accord avec la loi de Dieu et de son Prophète. » Que son nom soit vénéré !

Namori enlève son boubou, ne gardant que son turuti. Ensuite il se campe sur le seuil comme pour couper toute retraite au Vieux Soriba. Et il fulmine :

— A vouloir toujours te tirer d'affaire en attribuant au Prophète des propos qu'il n'a pas tenus ou que Dieu ne lui a pas dictés, tu risques fort de te faire foudroyer en pleine sécheresse.

— Et moi-même ! se fâche le Vieux Soriba, et moi-même je dis que réclamer une dette lorsque le soleil est au zénith, c'est de la jahiliya*.

A son tour, il enlève son boubou, tandis que Namori se défait de son turuti.

— Le caïman te tient, bèlètigui-ba* ! par les couilles et tu continues à lancer ton filet comme si de rien n'était ? injurie le boucher. J'ai là, dans mon portefeuille, ta reconnaissance de dette. Et je m'en vais voir le commandant, le juge et les miliciens pour qu'ils te jettent en prison.

— Et moi-même ! triomphe le Vieux Soriba, et moi-même, j'ai un moyen infaillible pour que le caïman lâche prise : c'est de lui enfoncer les doigts dans les yeux, à lui, qui n'a pas de paupières. Une reconnaissance de dette ? Mais je ne

* *Époque pré-musulmane.*

* *Injure grossière.*

16

reconnais rien du tout ! Je n'ai fait que poser mon doigt mouillé d'encre noire sur un papier. Et sous la menace ! M'entends-tu ? Sous la menace de mourir de faim. Or Le Livre Saint interdit d'attenter à ses jours...

— Elle est contresignée par Daouda qui s'est porté garant de ta sincérité, rappelle Namori.

— Alors, règle cette affaire avec lui, ricane le Vieux Soriba. Il est revenu de Dakar, ce matin, par l'express.

Namori s'assied sur le tara, comme accablé par une mauvaise nouvelle : la tête dans les mains et les yeux rivés au sol.

— Commandant Jacques-Hugues-Gontran Bertin, soupire-t-il, que n'es-tu ici, chaussé de brodequins, pour parachever l'œuvre de destruction que tu avais commencée...

— Et combien de fois t'a-t-il supplicié pour t'obliger à payer l'impôt ? se venge le Vieux Soriba. Et même que tu en as pissé dans ton pantalon.

Namori se lève d'un bond, prend le Vieux Soriba par le col de son turuti et le secoue énergiquement. C'est à ce moment-là que Daouda entre dans le vestibule, suivi d'un portefaix chargé d'une cantine bariolée de rouge, de vert, et de jaune.

— Êtes-vous des bilakoro* ou des hommes mûrs ? insulte-t-il. Doit-on vous couper le

* _Incirconcis._

17

prépuce dans la fraîcheur du petit matin ? Je me le demande.

Il s'assied sur le tara et se met à compter une lourde liasse de billets.

— Voici ce que Soriba te doit, dit-il, en tendant une certaine somme à Namori. Maintenant, retourne à ton étal.

Le boucher enfourche sa bicyclette et s'en va à vive allure, en criant à l'avenant qu'il vient de triompher du Vieux Soriba, cet ingrat, ce faux frère de case. Il s'arrête à l'ombre de la mosquée et distribue des pièces de monnaie aux anciens.

— Achetez de la noix de cola et faites des bénédictions qui me protégeront dorénavant des mauvais débiteurs, dit-il.

Il marque un arrêt devant le hangar maudit pour expliquer à Kompè comment il a obligé le Vieux Soriba, cet avare, ce radin, à sortir son portefeuille pour payer un arriéré de sept kilos de jarret à trois cent trente francs. Celui-ci répond que depuis son voyage céleste il ne s'occupe plus des différends entre gens de Kouta, et qu'il n'est revenu sur terre que pour réparer une faute, avant de retourner au ciel parmi les anges et les houris à la senteur de goyave mûre.

N'dogui lui fait remarquer à nouveau que la jante de sa bicyclette frotte contre la fourche arrière et qu'il suffirait de quelques coups de marteau...

— Ce bruit ? C'est ma marque distinctive, ricane le boucher. Il fait peur à mes débiteurs, quand j'arrive chez eux, à midi pile, alors qu'ils roulent leur première poignée.

Il double le Père Kadri, venant de Bangassi, non loin de la Maison Carrée, et le salue d'un large sourire.

Togoroko, l'idiot du village, attend devant la boucherie. Dès que Namori appuie sa bicyclette contre un mur, Togoroko entonne un chant de victoire :

« Lion !...
Namori est le lion
Parmi les bouchers.
Le lion des bouchers
A nom Namori. »

Les marchandes de condiments et de galettes reprennent la chanson en chœur. Bamba, le crieur public, s'arrête de transmettre un message et soutient le chant d'un martèlement de tam-tam. Et voilà que tout le marché chante et danse en l'honneur de Namori. Il rassemble trois tas de tripes à la limite de la putréfaction et les offre à Togoroko, avec préméditation, pour se rire de cette rancœur bien connue que Bamba nourrissait contre celui-ci.

Autrefois, les deux hommes étaient amis...

Togoroko était venu de Dialaya, son village natal, à quelques kilomètres de Kouta, chassé par les siens, car il fallait, pour qu'il accepte de cultiver, l'attacher à un arbre au moyen d'une longue corde. Il fallait non seulement le priver de nourriture, de cola et de tabac, mais encore le

19

triquer pour qu'il consente à sarcler ce que la longueur de son lien permettait. Alors on l'attachait à un autre arbre. Malgré tous ces mauvais traitements et toute cette humiliation, Togoroko ne montra aucun goût pour les travaux des champs. Ses parents finirent par le chasser comme un mauvais présage.

Togoroko vint alors à Kouta où il se promenait dans un accoutrement des plus insolites : une tunique jaune, rouge et verte ornée de miroirs et de dents de fauve. Les mains chargées d'une bonne dizaine de couteaux, la bouche pleine à la fois de cola et de tabac, il prédisait aux passants, dans la foulée, les sacrifices qui leur incombaient pour annihiler une ténébreuse machination. On se méfia longtemps de cet étranger qui mangeait la cola additionnée de tabac, et passait le plus clair de son temps à affûter ses couteaux avant de les lancer très haut vers le ciel pour les récupérer à quelques centimètres du sol, sans se couper.

Bamba perçut tout le profit qu'il pouvait tirer de cet homme si habile de ses mains. Ils s'associèrent. Bamba jouait du tam-tam. Togoroko exécutait des tours d'adresse. Les pièces de monnaie pleuvaient. L'un allait s'enivrer au « Saint Trou », chez Jean-Baptiste ; l'autre achetait de grosses noix de cola et du tabac.

Ce fut Togoroko qui persuada Bamba qu'au lieu de se produire pour ces radins de Koutanké, ils feraient mieux de se rendre à Darako pour conquérir et la gloire et la fortune. Ils prirent

20

donc l'autorail de dix heures. A peine descendu de leur compartiment, Bamba qui n'avait pas ménagé le tyapalo* tout au long du voyage, se livra à un martèlement soutenu, pour attirer les premiers spectateurs ; et Togoroko de lancer un couteau très haut, trop haut vers le ciel. Mais il rata son tour et faillit provoquer une mort d'homme, car le couteau se ficha juste aux pieds d'un jeune garçon. Les policiers accoururent alors, disant : « Les fous de Kouta sont arrivés. » Ils confièrent Bamba et Togoroko au chef de gare avec la consigne de les renvoyer chez eux, par le train du soir.

De retour à Kouta, Togoroko propagea par tout le village que le son du tam-tam de Bamba déplaisait tant aux Darakois qu'on les avait expulsés.

*

— J'ai une nouvelle qui te comblera de joie, dit Daouda. Souffle sur ma bouche pour délier ma langue.

Le Vieux Soriba prend une noix de cola près de la jarre d'eau, l'ouvre et en offre la moitié à son frère de case.

— Souffle encore plus fort sur ma bouche ! ordonne Daouda. Souffle de toute la puissance de tes poumons !

— Par ces temps de sécheresse, se plaint le Vieux Soriba... Et puis le berger ne peut sacrifier que le lait du vendredi, octroyé par les pro-

* *Bière de mil.*

priétaires des vaches. Et quel que soit son dévouement, la nourrice ne donnera — abadan* — un frère à l'enfant dont elle a la garde. Je ne peux souffler plus fort sur ta bouche. Dis-moi plutôt ce que tu veux. Et s'il m'est possible de satisfaire à ta demande...

— Alors coupons court ! Soriba. Coupons le fil de la parole avec un couteau au lieu de le tirer sans cesse entre toi et moi. Seuls le tisserand et sa femme doivent se concerter longuement, et seulement quand il s'agit de choisir les coloris et les nuances d'un boubou d'apparat pour un prince. Tout à l'heure, Namori te tenait à la gorge, prêt à t'étrangler. Quand je l'ai entendu vociférer en se dirigeant vers ta maison, je suis accouru pour te libérer...

— Et que dois-je faire pour te prouver ma reconnaissance ? s'impatiente le Vieux Soriba. Exige de moi, Daouda.

— La reconnaissance et toi !... Non, vous n'avez jamais dormi dans la même case.

— En voilà une injure grave, et si bien troussée ! s'énerve le Vieux Soriba. Je ne veux pas en entendre davantage. Que désires-tu ?

— Je suis serré, Soriba ! Mes affaires déclinent. Restitue-moi, sans cris ni injures, la somme que j'ai donnée à Namori pour te délivrer de sa hargne.

— Cela n'est pas en mon pouvoir ! hurle le Vieux Soriba. Je suis pris, Daouda, comme une

* *A tout jamais.*

22

souris dans un trou sans issue. Je ne peux te rendre ton dû. Il a raison, le proverbe qui dit : « Deux oiseaux au long bec ont voulu se retirer mutuellement une brindille de l'œil : ils se sont éborgnés. » Tu parles de ton noucis d'argent, à moi qui suis encore plus démuni que toi ? Eh bien, Daouda, la chèvre qui bêle n'a pas si soif que ça, puisqu'elle a encore la force de bêler. Deux pauvres s'entraider !... Allahou akbar* ! Le beurre venir au secours de la cire, quand ils sont tous les deux sur le feu ? Daouda, sois raisonnable : peut-on laver de la merde avec de l'urine ? Faut-il le dire au risque de te déplaire ? Eh bien, tu t'es porté garant de moi auprès de Namori uniquement pour montrer ton importance. Demande-moi plutôt de te donner...

— La reconnaissance et toi ! soupire Daouda.

Les bras levés comme s'il prenait le ciel à témoin : « Ah, Allah ! j'introduis ma main dans un trou à la recherche de quelque chose que je n'ai pu attraper. Et voilà que je ne peux récupérer mon bras. Ah, Allah ! je pisse et mon urine devient une mare d'où sort un crocodile qui me tient. »

Il ordonne au portefaix de reprendre la cantine bariolée. Et tandis que celui-ci atteint le seuil, le Vieux Soriba sort son portefeuille.

— Voici ton argent, dit-il. Et qu'est-ce que tu vas en faire de cet argent ? Ah ! le donner aux

---

* *Dieu est le plus grand.*

jeunes filles qui te rendent visite dans ton arrière-boutique ?

Daouda compte, avec minutie, la liasse que le Vieux Soriba lui tend. Il fait tinter les pièces de monnaie, l'une après l'autre.

— Il manque quarante-cinq francs, sourit-il. Mais nous n'allons pas nous fâcher pour si peu. Maintenant, souffle sur ma bouche puisque j'ai une bonne nouvelle pour toi.

Le Vieux Soriba bondit, en brandissant le poing, la bouche chargée d'injures :

— La fourmi ne pique que les couilles pour lesquelles elle n'a ni respect ni égards, mais jamais celles qui la recouvrent au point de l'étouffer. Et Namori dit vrai : « Tirer sur la queue de l'âne avec la fougue d'un étalon ?... » Et moi-même, Vieux Soriba, et puisque tu n'as aucun respect pour mes cheveux blancs, eh bien, je m'en vais faire mieux que souffler sur ta bouche. Moi-même, que vous appelez « Vieux Soriba », par dérision..

— J'ai là, dans cette cantine, tes cartouches, coupe Daouda.

Le Vieux Soriba soupire de satisfaction, s'assied sur le tara, offre cinq cents francs au portefaix et l'oblige à jurer qu'il ne dira rien à personne. Celui-ci, au comble de la joie, récite un verset du Livre Saint consacré à la circonstance avant de prendre congé. Daouda sort de sa poche une noix de cola et en donne la moitié au Vieux Soriba. Ils mâchent en souriant, sans rien dire, sans se regarder.

— Toute une cantine pleine de cartouches ? dit enfin le Vieux Soriba. Et comment a procédé mon associé pour tromper la vigilance des douaniers ?

— Il a trouvé une combine infaillible, répond Daouda. Et seuls les Sénégalais sont capables d'une telle supercherie. Il s'est procuré les cartouches comme à l'accoutumée, au marché noir. Puis il les a déposées dans cette cantine qu'il a peinte en rouge, jaune et vert, les trois couleurs de la magie ; et il les a recouvertes d'un linge blanc, le symbole du deuil, sur lequel il a posé trois fétiches achetés au marché de Colobane. Nous avons alors pris le train ensemble. Et tout au long du voyage, il arborait une tenue de grand féticheur, couverte de dents de phacochère, de griffes de panthère et de petits miroirs. Au contrôle de la douane, il a ouvert la cantine sans manifester la moindre inquiétude, tandis que les douaniers tremblaient de peur. Après le contrôle, j'ai pris possession de la cantine. Et il est retourné à Dakar par le train venant de Darako que nous avons croisé à Bafé.

— Et combien de cartouches y a-t-il dans cette cantine ? demande le Vieux Soriba.

— Trois cents.

— L'oreille n'a pas entendu. Daouda, mon ami, mon frère de case, mon plus-que-frère, je te dis que l'oreille n'a pas entendu.

— Dois-je le répéter ? Soriba, dans cette cantine...

— Daouda, puisque je te dis que l'oreille n'a

pas entendu ? Pourquoi insistes-tu ? Et puis tu parles trop.

Maintenant, les deux amis rient en s'assenant de grandes tapes dans le dos.

— Et qu'est-ce qu'un douanier va chercher dans une cantine quand il voit tout d'abord un linge blanc et par-dessus, des fétiches ? ricane le Vieux Soriba.

— Et tu ne sais pas tout ! s'esclaffe Daouda. Ce combinard de Mahamodou Kane avait placé sous les cartouches une petite poupée. Et quand il ouvrit la cantine, les douaniers perçurent un cri de nouveau-né.

— Les fétiches qui pleuraient parce que des yeux profanes les avaient vus, s'amuse le Vieux Soriba. J'aime les Sénégalais, moi-même. Je dis que moi-même, Vieux Soriba, j'ai une grande affection pour les Sénégalais ; parce qu'ils ont de grandes qualités : d'abord l'intelligence, ensuite la discrétion. Le Sénégalais est là qui joue aux cartes ou aux dames. Eh bien, tu peux dévaliser une banque pendant qu'il t'observe. Aux questions des policiers, il répondra qu'il n'a rien vu. Strictement rien ! Évidemment, la nuit il viendra chez toi, disant : « Gorgui*, c'est fait devant moi. Donne ma part. » Et si tu refuses, il n'ira pas te dénoncer pour autant. Sais-tu, Daouda, que j'ai pleuré quand la Fédération du Mali a éclaté ? La Fédération du Mali, c'était avant tout les épousailles de la mer et du grand

* *Homme, monsieur.*

fleuve. Le mariage du poisson de mer et du poisson d'eau douce. J'aime le poisson moi-même. Je dis que moi-même, Vieux Soriba, j'aime les ânes, les femmes et le poisson. Et si je pratique l'usure et la contrebande, c'est pour entretenir mes ânes, aider les femmes et acheter du poisson. Et Dieu me pardonnera : c'est lui qui m'a fait aimer les ânes, les femmes et le poisson. Oui, quand la Fédération du Mali a éclaté, j'ai pleuré le divorce du poisson de mer d'avec le poisson d'eau douce.

— Or, désormais, soupire Daouda, seul le vent répète un nom prestigieux pris à l'histoire : « Fédération du Mali ! Fédération du Mali... »

Une grande tristesse s'empare du Vieux Soriba. Il remet son boubou, comme pris de froid, considère le plat posé près du tara avec de pauvres yeux, le visage défait.

— Dis-moi, Daouda, interroge-t-il, dis-moi comment vivent les Sénégalais par ces temps où Dieu nous prive de sa clémence. Bien que malheureux, je me soucie du sort des autres.

— Ton associé, Mahamodou Kane, m'a offert un repas d'une rare délicatesse. Un riz au poisson, un ceebu jën, comme ils disent là-bas, avec des courges, des carottes et des aubergines, en pagaille ! Et un méchoui. Chaque jour que Dieu fait, tous les Sénégalais mangent du poisson.

— Pourquoi nos ancêtres sont-ils venus s'installer ici, à l'intérieur des terres ? s'indigne le Vieux Soriba.

— Pose cette question plutôt aux jeunes gens qui sont devenus nos égaux. Pose-la ce soir à la réunion de la cellule de base.

— Ils me diront : « Camarade Vieux Soriba, tu parles comme l'homme de la rue. » Et moi, je répondrai : « L'homme de la rue, c'est le peuple. Je n'aime pas qu'on insulte le peuple. » Vois-tu, Daouda, quand Dieu fait naître quelqu'un au bord de la mer, il prend en charge, dès le départ, la moitié de sa subsistance. Le fleuve monte et descend selon les crues qui l'alimentent. Or, la mer est toujours la mer. Contemple la mer, Daouda ! Là où s'arrête ton regard, c'est là que commence la vie, avec ses poissons de toutes les couleurs, de toutes les tailles et chacun, avec sa saveur distincte. L'homme qui est né au bord de la mer doit avoir l'esprit aussi posé que l'huile d'arachide dans une cuvette. Il est garanti contre la faim tout comme l'enfant dont la mère vend des beignets. Si sa mère trouve des clients, il mangera du riz avec de la viande. Si personne ne veut des beignets de sa mère, alors ils sont là, les beignets, pour assouvir sa faim. De même l'homme né au bord de la mer est garanti : s'il pleut et que l'herbe pousse, il pourra offrir un méchoui à ses amis ; si les pluies font défaut, alors la mer est là, avec les poissons de toutes les couleurs, de toutes les tailles et chacun, avec sa saveur distincte.

Daouda acquiesce de la tête et se lève pour

prendre congé. Le raisonnement du Vieux Soriba lui paraît d'une cohérence telle qu'il a un pincement au cœur. Il hèle Amy et lui demande un gobelet d'eau qu'il avale d'un trait. Il voit la mer et un grand froid tombe en lui. Il se souvient de tout ce que la radio dit au sujet de l'avancée du désert et se demande si un jour, la République de Darako ne sera pas dévorée par les sables comme une forêt livrée aux flammes.

— Non ! crie-t-il, comme au sortir d'un cauchemar. Non ! Il ne faut pas. Nous devons faire quelque chose.

A le voir debout, le regard lointain, le Vieux Soriba est pris de remords. Il voulait plaisanter, et voilà que le jeu avait dégénéré pour atteindre Daouda et lui-même au plus profond de leur être. Il prend son plus-que-frère par le bras et l'oblige à se rasseoir sur le tara, à côté de lui. Le Vieux Soriba veut trouver une plaisanterie, rien qu'un bon mot pour dérider Daouda. Il augmente la tonalité du transistor. Et c'est toujours Tanga qui chante. Tanga, son fils entré dans la légende et de son vivant...

Ne disait-on pas qu'une nuit, au bord du Djoliba*, il avait tiré des accords si pénétrants que Ba Faró, la Dame du Fleuve, était sortie de son domaine, avec ses longs cheveux de lumière, sa camisole d'eau vivante et l'ondoiement de son corps comme un reflet d'argent sur la vague ? Après avoir comblé Tanga de ses charmes, elle

* Le fleuve Niger.

lui avait donné un talisman qui rendait le son de sa guitare irrésistible. On ajoutait que lorsque ses nombreuses admiratrices l'agressaient et qu'il ne pouvait plus composer, Tanga faisait une retraite auprès de sa grande et merveilleuse amie.

Autrefois, le Vieux Soriba aimait entendre cette histoire. Il en tirait une certaine fierté. Mais connu pour l'attirance que les femmes ont toujours exercée sur lui, il répondait que Ba Faro, si elle était bien belle, manquait cependant de bon sens ; car, disait-il, seul le vieux singe sait comment décortiquer la vieille arachide.

— Qu'un mauvais génie, ennemi de Ba Faro, s'empare de Tanga, l'incarcère et le frappe si sauvagement qu'après son châtiment il confonde une guitare avec une houe.

— Dis : « Astafurulaye ! » crie Daouda. Il ne faut jamais maudire la jeunesse. Maudire les jeunes gens, c'est hypothéquer l'avenir.

— Astafurulaye ! fait le Vieux Soriba, trois fois.

Ensuite il s'excuse, la tête basse, visiblement mal à son aise. Daouda refuse le morceau de cola qu'il lui tend et se lève pour prendre congé.

— Pour dire vrai, soupire le Vieux Soriba, j'ai tenu des propos indignes de Bamba, le crieur public, dans ses moments d'ivresse. Les jeunes gens diraient : « Camarade Vieux Soriba, tu as déconné à bloc ! » Maintenant, raconte-moi, par ces temps où l'on peut céder à la tentation de divaguer, dis-moi comment les Sénégalais, nos cousins à plaisanterie, vivent par rapport aux autres agréments de l'existence.

— A Dakar, il y a des femmes, dit Daouda laconique.

Le Vieux Soriba se redresse, rajuste les pans de son boubou avec des gestes coquets, les yeux pétillants d'impatience.

— Et moi-même, Vieux Soriba, j'aime, quand on me parle de choses sérieuses, que l'on conduise la parole doucement, comme une jeune mariée. J'aime, quand on m'entretient de choses vraies, et non de politique, que la parole s'en aille d'une démarche de princesse gâtée et que des détails surgissent çà et là, donnant plus de relief au récit.

— A Dakar, reprend Daouda, il y a tellement de femmes que si l'on armait mille jeunes gens, robustes et gaillards, de gourdins, avec la consigne d'assommer celles qui se déhanchent dans les rues, il en resterait encore, largement, de quoi satisfaire les honnêtes gens.

— Pourquoi parles-tu ainsi ? se plaint le Vieux Soriba. Tu aurais pu trouver une image plus attrayante. Tiens, par exemple : « A Dakar, il y a tellement de femmes que si l'on y transportait tous les hommes de Darako en plus de ceux de là-bas, chacun trouverait son compte, sans léser personne. »

— Quand on marche derrière certaines Sénégalaises, c'est là une perdition pour l'âme, renchérit Daouda. Une démarche brûlante de langueur dans l'exaltation des parfums les plus enivrants et le cliquetis des bracelets d'argent. Des femmes dougui* ! avec juste ce qu'il faut de rondeur, et aux bons endroits. Seytane* et le tintement des perles se mêlant de la partie, il faut quelquefois faire ses ablutions après les avoir suivies.

— J'aime les femmes ! s'émerveille le Vieux Soriba. Aimer les femmes est la seule qualité que je me reconnais. Et cette qualité-là, je la tiens de mon père. Il disait : « Un homme, et un vrai, après avoir tété sa mère, doit téter l'oreille de sa femme. C'est-à-dire ne jamais prendre une décision sans la consulter. » Quand il entendait une femme sangloter, il se mettait à pleurer et ne s'arrêtait que lorsqu'elle s'était consolée. J'aime les femmes. Dieu l'a voulu ainsi. Et ce que Dieu fait est bien. Mais sur l'amour que je porte aux Sénégalaises, il convient de poser une poignée supplémentaire. Tu le sais : un de mes plaisirs, c'est d'aller à la gare pour admirer ces bougresses qui regagnent Dakar par l'express. J'aime les entendre parler une langue à laquelle je ne comprends rien. Mais les mots seuls suffisent à me tenir sous leur charme. Leur langue avec les « Ndeïssane* » et les « Nijaay* », c'est déjà une mélodie. Et Tanga aurait dû chanter en wolof. Et rien qu'à la façon dont ces bougresses me

* Bien en chair.

* Le démon tentateur.

* Interjection qui exprime l'attendrissement.

* Oncle. C'est ainsi que les femmes Wolofs appellent leur mari.

regardent et me sourient, en exhibant une dent en or, j'ai compris, il y a longtemps, qu'elles savent que je les aime beaucoup. Mais tu ne les détestes pas non plus, toi ; car au lieu de me dire qu'elles se pomponnent — ce que tout le monde voit — tu me parles des perles dont elles s'entourent la taille. Dis-moi, Daouda, ces perles, de quelle couleur sont-elles ?

— Je n'en sais rien, Soriba.

— Tu mens ! vocifère celui-ci. Je dis que tu mens. Nous sommes frères de case, est-ce bien vrai ? Si on te mettait en terre sans que moi, Vieux Soriba, je vienne me pencher sur ton corps, disant : « Daouda, je pardonne tout le mal que tu m'as fait », eh bien, tu irais malpropre dans l'autre monde. Et puis, tu es bien resté près d'un mois à Dakar. Peux-tu jurer sur le Livre Saint que pendant tout ce temps-là...

— Des rangées, des combinaisons et des assortiments de perles ! s'exclame Daouda. Des rouges et des jaunes, des vertes et des blanches ! Des perles civilisées, plus fines et plus éclatantes que celles des Darakoises. Et les perles sont les tam-tams de cette danse intime que tu affectionnes tant.

— J'aime ta façon de parler ! s'excite le Vieux Soriba. Des perles de toutes les couleurs sur une peau noire comme la suie des cuisines. Une peau si noire qu'on pourrait s'y mirer... En vérité, Daouda, tu es plus heureux que moi d'avoir vu pareil spectacle.

— A Dakar, au jour d'aujourd'hui, il n'y

33

a plus tellement de femmes noires, ricane Daouda.

— Tu mets du citron dans du lait, et tu veux que je boive cette mixture ? Eh bien, non ! M'entends-tu, Daouda ? Non, trois fois. Et puis, je n'ai jamais eu de goût pour la parole détournée, tordue comme l'arbre généalogique du Père de la Nation.

— Elles pratiquent le khessal.

— Le khessal ? fait le Vieux Soriba. Le khessal ? Décortique-moi cette affaire. Je veux tout savoir du khessal, car tout ce qui concerne les femmes m'intéresse. Oui, moi-même, Vieux Soriba, je suis attentif à tous les problèmes que les femmes rencontrent. Et cela fait partie de la foi : Le Prophète disait...

— Elles se décolorent avec des produits : savons et pommades. Alors, elles deviennent claires comme les femmes nées à la croisée de la race blanche et noire.

— Une main lave l'autre. C'est un proverbe bien de chez nous. Mais la main ne peut atteindre correctement toutes les parties du corps. Dieu l'a voulu ainsi pour bien prouver aux enfants de Fa-Adama et de Ba-Awa qu'ils ne sont pas ses égaux. Dis-moi, Daouda, aux endroits que la main ne peut atteindre correctement, comment font-elles ?

— Elles restent noires. Et celles qui n'ont pas les moyens d'acheter régulièrement ces savons et pommades et pratiquer un khessal complet, ont un visage couleur de terre cuite, avec des pieds et

34

des mains noirs, comme ceux des singes qui peuplent nos collines. Des femmes-odeur-de-poisson-séché ! Car tous ces produits, savons et pommades…

— Ndeissane ! s'attendrit le Vieux Soriba. Elles font tout cela pour plaire à nous autres, les hommes. Il faut les aider. Le Président du Sénégal pourrait, quand même, dire aux Américains, qu'au lieu de nous envoyer du sorgho rouge, ils nous fournissent ces pommades et ces savons en grande quantité pour que chaque femme ait son compte. Nous autres, les hommes, nous devons adresser une pétition au Président du Sénégal pour exiger qu'il fasse une telle démarche auprès des Américains. Et je serais le premier à signer cette pétition, même si elle devait me conduire en prison.

Il s'apprête à poser une autre question quand la radio émet une musique militaire et que le speaker invite les auditeurs à rester à l'écoute pour prendre connaissance d'une nouvelle de la plus haute importance. Quelques instants plus tard, un communiqué tombe, sec, laconique : « Aujourd'hui, le pouvoir dictatorial du Président Bagabaga Daba a chuté. L'armée darakoise, ayant en son sein les dignes fils du peuple, occupe les points stratégiques de la capitale. Le pouvoir dictatorial du Président Bagabaga Daba et son culte de la personnalité ont été renversés sans une seule perte de vie humaine, hormis le Président Bagabaga Daba qui s'est donné la mort. Les accords internationaux qu'il a signés au nom du peuple darakois sont garantis. Le Conseil National de Salut Public qui a pris le pouvoir, invite la population à garder son sang-froid et l'exhorte au travail et à la discipline. Les fauteurs de troubles seront passés par les armes, après un jugement expéditif. Seront considérés comme fauteurs de troubles les imprudents, les provocateurs et principalement les raisonneurs, tenants de « par conséquent », les poseurs de questions difficiles qui ébranlent les uns dans leurs convictions et poussent les autres à trop réfléchir, ce qui est nuisible à l'action. Désormais, à Darako, à chacun ses idées, comme au bal, à chacun sa chacune. Vive la République de Darako, unie et prospère. »

L'hymne national retentit alors, lourd, comme la démarche d'un vieillard arborant une énorme hernie :

« Les indépendances
Multi-divisées,
Au fou ! au feu !
Darako sur la vieille haridelle
Des jours de carnaval,
Glou ! et glou glou !
Dans l'Iguarapa !
Darako gonflé d'espoir
Comme un ballon de baudruche,
Pam ! et pam pam !
Au contact d'une braise incandescente. »

*

Namori et Solo arrivent en même temps devant le vestibule du Vieux Soriba, l'un à bicyclette et l'autre se frayant un chemin de sa canne. Dès que Solo entend Namori appuyer son engin contre la palissade, il tient son bâton d'aveugle serré et fait des moulinets en injuriant un fils de chien de boucher, cœur-sec-comme-gésier-de-coq, égorgeur d'agneaux et de veaux, vendeur de charogne. Ensuite, il se hâte d'entrer dans le vestibule et confie sa canne à Daouda.

Solo sait qu'il doit trois kilos d'abats à Namori et celui-ci a coutume de lui confisquer sa canne pour l'obliger à s'acquitter de ses dettes. Il faut alors qu'un passant secourable le tienne par la main pour qu'il regagne sa maison, tandis que Namori rit à s'éclater la rate. Combien de bâtons d'aveugle le boucher a-t-il chez lui ? En vérité, Solo ne le sait pas lui-même, car une canne coûte moins cher qu'un kilo d'abats.

Namori s'amuse de ces injures et dit que ce jour est béni, que Dieu dans sa clémence n'a jamais fait un jour plus beau et que pour saluer ce jour faste, toutes les dettes sont remises.

*

Ils étaient seize nés la même année. Mais les maladies vinrent : coqueluche, ictère, fièvre jaune, variole et méningite, emportant les uns, marquant les autres à tout jamais.

Ils furent six à franchir la case de l'homme. Après leur entrée dans la société des adultes, Kalifa, Diely Mady et Namori avaient émigré, et seul ce dernier était revenu à Kouta, après la mort de son père. Daouda épousa la fille unique d'un riche commerçant. Mais que n'avait-il pas fait pour triompher des autres concurrents ? Il avait consulté marabouts et féticheurs, demandé aux premiers de faire des retraites de quarante jours, tous frais payés, pour implorer Allah ; les autres lui conseillèrent des sacrifices, et même un morceau de linceul enduit de beurre de karité qu'il brûla un jeudi, quand le muezzin cria la prière de l'aube. Son beau-père l'adopta et lui légua tous ses biens. Il les fit prospérer en se livrant à un commerce à la limite de l'usure et de la contrebande.

Soriba resta longtemps parmi les ânes de son père. A la mort de celui-ci, il découvrit le commerce et s'y lança éperdument. Mais à Kouta la place était déjà prise.

On disait de Solo qu'il était doué d'une double vue. Et parce qu'il avait observé de trop près les affaires des génies, ils s'étaient vengés de lui : il devint aveugle, à la surprise générale, après une maladie bénigne.

Ils s'aimaient tous les quatre, s'entraidaient, mais ne se témoignaient ni égards ni respect. Quelquefois, à les voir se quereller bruyamment ou se jouer des tours hors du commun, on les aurait crus ennemis.

Assis en cercle, ils mangent cette farine de sorgho rouge, offerte par les Américains aux pays frappés par la sécheresse. Daouda dit qu'elle a un goût de fonio cuit à l'étouffée ; Soriba ajoute que la sauce claire qui l'accompagne est l'œuvre d'une maîtresse femme, d'une

38

femme qui sait parler aux oignons pour qu'ils prennent un goût d'aubergine verte et de gombo frais. Namori vante la qualité de la viande et affirme que dorénavant filet, jarret et abats coûteront moins cher. Solo fulmine contre ces temps maudits où des égorgeurs d'agneaux et de veaux confisquent les bâtons des aveugles comme pour les diriger vers les puits abandonnés.

*

Dehors, les tam-tams battent. Tout le village danse la chute du Président Bagabaga Daba, cet affameur du peuple, ce fou qui avait établi le socialisme comme une loi d'airain, avec son cortège de dépravation des mœurs et de sécheresse. Les injures fusent de tous côtés, couvrant le martèlement des tam-tams.

Daouda est pris d'une envie irrésistible de se chauffer le corps, de le dénouer. Il enlève son boubou, puis son turuti, enfin son pantalon. Nu, comme le jour de sa naissance, il danse la fin des contrôles douaniers, des tracasseries policières et des ruptures de stocks. Ses amis l'imitent et tous quatre dansent, nus ! De temps à autre, Namori envoie des coups de pied dans les tibias de Solo ou lui marche sur les orteils. Aux hurlements de celui-ci, il répond : « Quand on danse avec un aveugle, il faut agir de la sorte. Ainsi il saura qu'il n'est pas seul à danser, et c'est le meilleur moyen de soutenir son entrain. »

II

Namori avait émigré quelques années après sa sortie de la case de l'homme. Son père, le boucher de Kouta, désirait qu'il reprenne l'affaire de famille. Mais, disait-il, il faut d'abord adhérer à une société secrète avant d'en briguer la chefferie. Il ne convenait pas, avait-il ajouté, de se présenter à un baptême et d'exiger que l'enfant porte votre nom. Et il concluait que seul un fils d'esclaves de case, c'est-à-dire un woloso, pouvait faire irruption dans un tonton* pour s'emparer d'un gigot.

Il confia donc Namori au chef des bouchers afin qu'il apprenne le métier. Celui-ci lui dit qu'un vrai boucher devait tout d'abord s'habituer à l'odeur du sang et le commit au transport des bêtes abattues. A Kouta, on lui donna le surnom de « Namori-chargeur-de-viande ». Le soir, après la fermeture de la boucherie, il avait beau se frotter au toubab-safounani, le savon des Blancs, s'arroser d'eau de Cologne et de parfum, son surnom lui collait à la peau, rappelant une odeur de sang coagulé et le bourdonnement des mouches. Et quand il s'en allait chez une jeune fille, accompagné de Daouda, Solo et Soriba, avec un chœur de musiciens, il rencontrait un refus, sec, comme un nerf de bœuf.

* Association à caractère coopératif où chacun apporte une quote-part pour l'achat d'un bœuf ou d'un mouton.

Son père constata son désarroi et lui trouva une femme venue d'une brousse si lointaine que le sel devait y être tenu pour une denrée rare.

Un jour, on apprit que les enfants blancs du Bon Dieu s'étaient séparés, brutalement, comme les branches d'un même arbre. Des émissaires étaient alors venus à Kouta. Ils triaient les hommes valides sur le vif, comme du bétail, les obligeant à ouvrir toute grande leur bouche comme des caïmans ; regardant la plante de leurs pieds comme des chevaux à ferrer ; tapant sur leur poitrine pour voir si le cœur y était ; soupesant leur sexe pour se convaincre qu'il emplissait bien leur pantalon. Les absents furent déclarés « bons absents ». Namori était du nombre : il n'avait pas attendu que le conseil de révision l'appelât.

Pendant douze ans, on n'eut aucune nouvelle de lui avec certitude. Les uns le disaient à Séfadougou à la recherche du diamant et les autres, dans les mines d'or du Bouré vers Kourémalen.

A son retour, il ne fit aucune révélation. Pas même à ses frères de case, Daouda, Solo et Soriba. Alors la médisance !... Kompè le coiffeur et ses amis disaient qu'il avait été coupeur de routes, brigand des grands chemins ; et les autres ajoutaient qu'il sortait tout juste de prison.

Trois mois après la mort de son père, il était revenu à Kouta, avec toute la pacotille qui pouvait éblouir ; avec une femme, deux fils et un fusil à canon double.

Les anciens avaient tout aussitôt dépêché Douada, Solo et Soriba auprès de lui, disant que le dernier vœu de son père fut qu'il reprenne la femme qui l'avait attendu pendant douze ans. Pour toute réponse, Namori se mit à pleurer en se mordant le poing. Ses amis crurent que c'était là sa façon d'exprimer et son regret et son accord. Ils en informèrent les anciens qui vinrent le féliciter de sa compréhension, disant qu'il était le vrai fils de son père par sa commisération et sa sensibilité. A nouveau, Namori se mit à pleurer, entra dans sa chambre à coucher et revint avec son fusil à canon double. Il tira un coup en l'air, en maudissant ces coutumes et ces usages qui interdisent de tuer les vieillards inutiles, bavards et prodigues en conseils.

Il reprit la boucherie paternelle, licencia tous les employés, égorgeur, porteur, videur de tripes et autres détaillants, ne gardant qu'un vendeur. Il abattait lui-même les bêtes, les dépouillait, les dépeçait et les transportait à son étal à l'aide d'une charrette, avant la prière de l'aube.

Mais quand on sut comment il procédait pour accomplir, tout seul, une si lourde tâche, l'Imam vint le voir en toute confidence et lui demanda d'engager de l'aide. En effet, Namori assommait bœufs, chèvres et brebis avec un énorme marteau et ils mouraient sans avoir été saignés.

Quand l'Imam lui expliqua, patiemment, que des bêtes abattues de la sorte n'étaient que charogne pour un musulman, il engagea Sogoba, un colosse, un sans-emploi qui ne demanda même pas un salaire. Après enquête, on sut que celui-ci venait d'une brousse qu'aucun marabout n'avait jamais foulée. Alors que Namori se fâchait, maudissant les usages et les contraintes, l'Imam lui imposa Bilal, le barbier du village, comme égorgeur, moyennant un kilo de viande par bête égorgée comme le faisait son père. Bilal ne se fit pas prier : depuis l'indépendance et la dégradation des mœurs, seuls les vieillards se faisaient raser ; et comme ils étaient tous atteints d'une calvitie qui gagnait en étendue...

En quelques années, Namori fit fortune au prix d'un travail forcé. On ne lui connaissait ni le goût de Solo pour les longues palabres, ni les dépenses de prestige dont Daouda éblouissait les Koutanké, encore moins l'amour inconsidéré que le Vieux Soriba portait aux femmes. Une ménagère avait beau sourire, prendre des airs provocants et même s'offrir par des sous-entendus, Namori restait inébranlable et exigeait le paiement de sa viande à quelques grammes près. Et lorsqu'on lui parlait des différends entre gens de Kouta, il haussait les épaules et gardait le silence. Il avait conseillé à son étrangère de femme de ne montrer aucune ardeur à apprendre la langue claire de la savane pour se tenir loin des commérages du village. Les fréquentations de Namori se limitaient à Daouda, Solo et Soriba, ses frères de case. A l'égard des autres Koutanké, il se comportait comme un vendeur de viande qui ne demandait que le juste prix de sa denrée.

*

Namori connut, cependant, une grande passion qui étonna et fit jaser tout le village.

Une femme de passage avait manqué le train tandis qu'elle bavardait sur le quai non loin de la gargote de Doussouba Camara, faisant admirer la blancheur de ses dents et l'éclat de ses yeux. Daouda lui offrit l'hospitalité, à la grande satisfaction du Vieux Soriba, en attendant l'express suivant. Et Namori tomba éperdument amoureux de cette femme. Daouda favorisa leur liaison que le boucher entretint par des cadeaux : gigots de mouton, filets de génisse, bracelets d'or ou d'argent filigrané et de grands repas au son des guitares tétracordes égrenées par les meilleurs virtuoses de Kouta.

La belle étrangère fit remarquer à Namori qu'il était bien de sa personne et que, mieux que le boubou, le costume lui donnerait plus d'allure et de distinction. Il se fit confectionner un complet « Prince de Galles », avec gilet. Puis son amie lui demanda de se faire coiffer. Après deux heures de travail pour l'un et de patience pour l'autre, Kompè lui fit un « bouquet penché » qui accentuait une calvitie naissante au sommet du crâne.

Deux mois plus tard, l'Imam célébra le mariage religieux et la belle étrangère regagna

Dakar, comblée de cadeaux, pour, disait-elle, prendre ses effets personnels et emménager. Et quelle ne fut pas la surprise des gens de Kouta quand, par l'express de retour, un homme vint, avec un grand sabre. Et il vociférait, accusant le boucher de Kouta de détournement de femme, de non-respect pour le bien d'autrui, demandant l'application de la sentence prévue en cas d'adultère et disant que, sinon, il ferait justice. Et pour donner plus de poids à ses assertions, il exhiba tous les cadeaux que sa femme avait reçus de Namori.

L'Imam usa de tous ses talents de négociateur pour que l'exaspération des deux hommes ne conduise pas au drame, car Namori avait sorti son fusil à canon double, avec deux balles explosives. Et il menaçait de réduire en charpie ce braillard, cet imposteur de Sénégalais. En charpie ! au point que les chiens le vomiraient.

Les gendarmes l'incarcérèrent sur le conseil de l'Imam, de peur qu'il ne commette un meurtre. A sa sortie de prison, il s'en alla quelque part, enterrer son humiliation et ne revint à Kouta que trois mois plus tard.

Son caractère s'était encore aigri davantage. Il revint allergique aux femmes, comme le bouc à la tornade, le lépreux à la canicule. Il les qualifiait de « salamandres-ennemies-de-Dieu* » et disait qu'il y aurait plus de femmes en enfer que de houris au paradis. Et il ajoutait, comme pour

* *Au Mali, la salamandre est considérée comme un reptile néfaste.*

se démarquer du Vieux Soriba : « La femme ? Quelle ingratitude ! Oublieuse des bienfaits de Son Créateur, la femme a demandé à Seytane de la bénir : « Tu ne sauras jamais que tu es heureuse quand tu l'es », dit-il. Elle a répondu : « Amina* ! » Et tous les malheurs des hommes viennent de cette malédiction. » Le matin, quand les femmes arrivaient à son étal, en groupes bavards et querelleurs, Namori proférait des injures si grossières, si rouges, qu'il n'était pas possible de les rapporter à l'Imam pour qu'il en tienne compte dans son sermon, le vendredi, après la grande prière. Et s'il s'attaquait à l'une d'entre elles, nommément, les Koutanké disaient qu'à ce moment-là, les démons chargés d'attiser les feux de l'enfer dressaient l'oreille, se demandant si cette fille de Ba-Awa ne serait pas un combustible utile au supplice des damnés.

Il jura qu'il ne prendrait jamais une seconde femme et ne vivait plus que pour l'appât du gain, s'abstenant de consentir des prêts sauf à ses frères de case, car, disait-il, la dette est une corde qui sépare le veau de sa mère.

On le surnomma « cœur-sec-comme-gésier-de-coq ».

✳

Les gardes-cercles et les gendarmes commis au recouvrement de l'impôt et des taxes avaient les pires ennuis avec Namori. Ils le suppliaient, évoquaient sa haute lignée et rappelaient la mémoire de son père. Namori restait sourd. Ensuite ils menaçaient de lui retirer sa patente. Aux supplications et menaces, il répondait que la boucherie ne rapportait pas et qu'il gagnait juste de quoi nourrir sa famille à la seule condition de s'abstenir de manger de la viande. Et il fallait des pourparlers et des interventions, notamment celles de l'Imam et de Koulou Bamba, le chef de canton, pour qu'après une réduction appréciable, il paie ses obligations.

Le commandant Jacques-Hugues-Gontran Bertin, tout frais émoulu de l'École Coloniale, fut affecté à Kouta en remplacement de Dotori qui bâtit le premier pont reliant Kouta à Bangassi, la mission chrétienne. Jacques Bertin, qui n'avait ni l'expérience de Dotori, ni son amour des grands tam-tams au clair de lune, établit une loi : tout indigène qui ne s'acquitterait pas de l'impôt une semaine après l'annonce faite par le crieur public, devrait être maintenu au soleil par quatre gardes-cercles, pieds et mains ligotés, une bague d'argent posée sur son crâne et par-dessus, une grosse pierre.

La première année, Namori crut qu'il s'agissait d'une simple menace. Elle fut appliquée. Alors que les autres suppliciés criaient grâce rapidement, Namori subit ce calvaire pendant trois heures, en narguant le commandant qui ordonna de le relâcher de peur qu'il ne meure d'insolation. La deuxième année, Jacques

Bertin ne le fit libérer qu'au bout de cinq heures : son cœur s'était endurci contre ce boucher qui bien souvent disait à son cuisinier qu'aujourd'hui il n'y avait pas de filet pour le commandant parce qu'il l'avait donné au chef de canton, en accord avec la coutume.

Namori finit par se soumettre à cette épreuve, chaque année, comme à un rite d'initiation. Et toujours il triomphait. A Kouta, on célébrait son endurance à la douleur et à la soif, au son des tam-tams et des balafons soutenus par le chant des femmes, les soirs de clair de lune.

Dans toute la colonie de Darako, on se mit à chanter le boucher de Kouta. On disait qu'il pouvait, d'un coup de poing, abattre un taureau. On ajoutait qu'il était dispensé d'impôt pour avoir triomphé de toutes les tortures que les Blancs avaient imaginées et qu'il disait : « Non, mon commandant, non ! Aujourd'hui, pas de filet pour toi. »

Sa renommée, colportée de bouche à oreille, arriva au gouverneur qui écrivit une lettre confidentielle au commandant Jacques Bertin — copiée au ministère des Colonies — disant que s'il ne rémédiait pas à ce précédent fâcheux, les indigènes pourraient bien se révolter avec le boucher de Kouta pour chef. Il lui rappela ce qui se passa à Haïti, avec Toussaint Louverture et souligna toute la responsabilité que l'Histoire lui attribuerait si une insurrection venait à éclater. Le commandant Jacques Bertin se mit en quête d'un subterfuge et le trouva.

Le jour que les Koutanké appelaient désormais « le soleil de Namori », il ordonna aux gardes-cercles de remplir celui-ci d'eau, comme une outre, à l'aide d'un entonnoir ; de lui ligoter le sexe et de ne le détacher qu'un quart d'heure avant l'épreuve.

A peine le supplice avait-il commencé que la vessie de Namori céda, le couvrant d'urine et de honte. Sa réputation était ternie : les Koutanké ne retenaient plus que cette pelade qu'il portait au sommet du crâne, sa pingrerie et les injures rouges dont il couvrait les femmes.

Mais Bakou, le planton, affirma que la veille du « soleil de Namori », il avait vu Solo sortir du bureau de Bertin, pliant une liasse de billets flambant neufs, avec un sourire en coin.

*

Après l'indépendance et l'éviction des Blancs, Namori voulut revenir au premier plan, tout au moins sur la scène locale, à Kouta, par son obstination à ne pas payer l'impôt.

Mais les miliciens et autres brigadiers de vigilance, endoctrinés par le Président Bagabaga Daba, ne faisaient pas le détail. Ils prirent Namori et le mirent dans des pneus superposés, par quarante degrés à l'ombre, avec des voleurs, des violeurs, des filles portant minijupe et des sans-papiers venus de leur brousse lointaine et ils l'oublièrent comme un tract contre-révolutionnaire avec lequel ils se seraient torchés.

Assoiffé, à la limite de la déshydratation, cuit comme un margouillat mis à griller sur un feu de bois, il s'était écrié : « Ah, Allah ! » Un milicien à la barbe broussailleuse, un gros cigare entre les dents, les yeux vitreux, coiffé d'une casquette kaki et vêtu d'une tenue de combat de la même couleur, sortit d'un bureau climatisé avec un verre de rhum qu'il vida d'un seul trait : « Qui m'appelle ? Qu'ai-je encore fait ? » demanda-t-il.

Il entra dans les latrines, pissa bruyamment dans son verre et aspergea Namori de sa souillure jaune et mousseuse.

Namori comprit qu'il fallait se ranger, à tout jamais, du Président Bagabaga Daba, de ses percepteurs, de ses miliciens et brigadiers de vigilance. Mieux !... Il se fit grand militant, la bouche chargée d'injures contre les ennemis du régime. Il brigua le poste de secrétaire général de son quartier et l'obtint en pratiquant des prêts et des remises sur la viande. Pour récompenser son ardeur à injurier les valets de l'impérialisme et les temps maudits du colonialisme, du néocolonialisme, les adversaires cachés au sein du parti comme le ver dans le fruit, on lui décerna la plus grande des distinctions : le Mérite National avec effigie « Reine des Guêpes » pour bien montrer que le parti ne faisait aucune différence entre ces têtes noires d'analphabètes et ceux qui savent le secret des lettres et des chiffres.

Mais le monde, c'est au moins plusieurs matins : aujourd'hui et demain. Tous ces courtisans, profiteurs et forniqueurs dans les bureaux où les climatiseurs ne s'arrêtaient jamais de ronronner, trouvèrent au Président Bagabaga Daba des qualités telles que ses ancêtres durent se retourner dans leur tombe. Il se mit à la place du tam-tam central, en se proclamant « Camarade Père de la Nation », ensuite « Grand Timonier » dans un pays situé à l'intérieur des terres. Les speakers de la radio ne surent jamais comment traduire ce titre dans les langues nationales et encore moins le justifier. Le peuple stupide et toutes les têtes noires se posèrent des questions à se déranger la cervelle.

Les intellectuels - il - n'y a - qu'à - ricanement - d'hyène achevèrent de séparer le Président Bagabaga Daba des fils de Fa-Adama et de Ba-Awa. Il se proclama « Président à vie » et bien qu'il ignorât tout de l'art militaire, « Maréchal de la République de Darako ».

Les intellectuels - il faut - fallait - feu follet le poussèrent à livrer une guerre sans merci contre les usages d'autrefois, interdisant les sacrifices et brûlant les bois sacrés et les mosquées. Le peuple, ramassis de bœufs ruminants, pour entraver la marche vertigineuse du Père de la Nation, exprima son inquiétude avec une basse stupidité. On l'accusa d'être réfractaire.

C'est alors que les miliciens ressuscitèrent les vieilles tortures après consultation des anciens. Kunkele !... Un bambou frais, fendu en deux, solidement attaché aux tempes sur lequel on tape comme sur un balafon. L'ennemi du Président et de son bon vouloir, le cerveau en feu, avoue, répond à tout par l'affirmative. Son-sanni falanèguè !... Le réfractaire rivé au sol, les mains ligotées, un bâton entre les jambes écar-tées à lui éclater la prostate, reçoit des coups aux mêmes endroits. Il s'évanouit, revient à lui et le tortionnaire reprend son rythme sur un tam-tam imaginaire.

Enfin, le Président Bagabaga Daba, au sortir d'une nuit d'exaltation, se proclama « Prophète des Noirs » pour avoir reçu la visite de l'Archange Jibril qui l'aurait honoré de ce titre. Les intellectuels amplifièrent l'événément comme un micro dans un tam-tam.

Namori limita alors son ardeur militante à sa seule présence aux nombreuses réunions d'information, de consultation et d'autocriti-que, toutes aussi inutiles que des bagues pour un lépreux, se contentant de frapper dans ses mains, tout comme Birama l'Applaudisseur qui disait que louer l'homme du moment n'avait jamais tué personne.

III

Dehors les tam-tams continuent de battre, saluant ce jour béni de Dieu et la chute fracassante de l'homme qui se prétendait son messager.

Déjà les miliciens et tous ceux qui ont montré trop d'ardeur à appliquer les décisions du Président Bagabaga Daba ont déserté le village pour se réfugier dans les collines : « Qu'ils soient pris par des bêtes fauves ! crie la foule. Ou qu'alors de méchants serpents les piquent et qu'ils meurent en convulsions douloureuses, doucement, lentement, longuement. »

Les femmes matraquent à grands coups de pilon les contrôleurs des prix qui ont commis l'erreur de ne pas suivre les miliciens et les brigadiers de vigilance dans leur fuite. La radio nationale diffuse, inlassablement, les nombreuses motions de soutien adressées au Conseil National de Salut Public pour avoir ajouté une épopée à l'histoire déjà prestigieuse du peuple darakois. Elles émanent de toutes les couches de la population, depuis « La Ligue des Musulmans de Darako », jusqu'à « L'Association des Tendeurs de Sébile ».

Les tam-tams crépitent, soutenus par le chant des femmes. Solo est essoufflé et les coups de pied de Namori sont plus rudes. Il rappelle à celui-ci qu'il avait été lui aussi, bel et bien, un serviteur de Bagabaga Daba pour avoir occupé le poste de secrétaire général de son quartier.

— Ma tête ! ricane Namori. Il a bien fallu que je sauve ma tête. La tienne n'a jamais rien valu à Kouta.

Mais soudain Namori se met à pleurer en se mordant le poing, et comme il n'injurie personne, ses amis comprennent qu'il exprime une vieille colère, une rancœur rentrée.

— Il faut se cacher pour pleurer ! dit Solo, sentencieux.

Namori se jette alors par terre, se roule et hurle si fort que sa voix se fait entendre dans le voisinage. Ensuite il se met à bourdonner, comme pour avaler sa peine, l'étreindre en lui. Et voilà que Daouda et le Vieux Soriba pleurent à leur tour cette vieille rancœur qui tient Namori et qui, pour éclater, a besoin de larmes, tandis que Solo fait mine de sangloter, disant qu'à entendre crier un égorgeur d'agneaux et de veaux, il ne peut retenir ses larmes. Couché par terre, Namori murmure entre deux sanglots : « Une odeur d'urine et de pneus surchauffés ! Je suis pris à la gorge, secoué de vomissements par une odeur d'urine et de pneus surchauffés. »

Daouda et le Vieux Soriba se regardent et accusent Namori de folie. Solo sourit et raconte cette histoire :

« Un effronté de bouc vint voir une vipère cornue couchée sous un arbre et lui demanda : « De quoi vis-tu, toi qui es toujours à la même place ? — De ce qui passe à ma portée, répondit-elle. Quelques insectes imprudents, un souriceau égaré et surtout de patience. » Le bouc revint le lendemain, posa la même question à ce serpent qui vous exécute le temps d'un grondement de tonnerre. Il reçut la même réponse : « Je vis de ce qui passe à ma portée et surtout de patience. » Mais en s'en allant, il marcha sur la tête de la vipère cornue qui accepta ses excuses, disant qu'elle était patiente parce qu'elle vivait de patience. Une semaine plus tard, le bouc revint. Des feuilles tombées de l'arbre recouvraient entièrement le serpent. A la question désormais rituelle, il répondit sous les feuilles mortes : « Je vis de patience. » Ils se parlèrent longtemps, en vrais amis qu'ils étaient devenus, le bouc maudissant l'averse et le serpent les feux de brousse. En prenant congé après une conversation des plus courtoises, le bouc marcha sur la tête de la vipère cornue qui se dressa et le piqua au cou. « Je t'avais prévenu que je vivais de patience », dit-elle. »

*

La radio diffuse un communiqué : « Le Conseil National de Salut Public décrète une amnistie pour les miliciens et les brigadiers de vigilance que Bagabaga Daba a induits en erreur. Il invite la population, dans un souci de réconciliation nationale, à cesser toute vengeance personnelle. »

Et voilà que les miliciens et les brigadiers de

vigilance reviennent des collines, sous une pluie battante, portant des branches comme des drapeaux de capitulation qu'ils offrent aux militants. Ils se jettent dans leurs bras et pleurent. Ils les appellent « libérateurs du peuple » : ceux qui, enfin, ont permis qu'ils lavent leur conscience de tout le mal qu'ils ont commis. Le repentir des miliciens et des brigadiers de vigilance est si touchant que les femmes abandonnent les pilons. Et c'est maintenant un grand kotèba* qui réunit tout le village, sur la grande place, à l'ombre du fromager tutélaire. On imite Bagabaga Daba, ses grands airs de conquérant et cette façon qu'il avait de se dresser sur la pointe des pieds pour corriger la petite taille dont Dieu l'avait accablé.

Namori chasse de sa tête ce communiqué comme un moustique qui lui bourdonne à l'oreille : « Plus la patience est grande et plus belle est la vengeance, ricane-t-il. Il faut encaisser un coup de pied aujourd'hui pour demain en donner dix. »

— Une odeur d'urine et de pneus surchauffés ! se plaint Solo, comme pour exciter Namori.

En vérité, et Allah aime le vrai, Namori a longtemps patienté.

Celui-ci se met à pleurer, maudissant ce décret d'amnistie et ces temps nouveaux qui s'annoncent pires que le règne de Bagabaga Daba

* *Théâtre populaire malien.*

56

puisqu'ils interdisent de tuer les miliciens et les brigadiers de vigilance, enfants de la bâtardise. Solo entonne un chant de guerre pris à l'histoire :

« La grêle vu tomber
Mettez-vous à l'abri,
Miliciens et tortionnaires !
Quand la grêle tombe
On se met à l'abri.
Insensés de miliciens !
Ne voyez-vous pas
Que Namori a les yeux,
Oui, les yeux rouges de colère ! »

Daouda et le Vieux Soriba comprennent. Ils se concertent à voix basse et sortent du vestibule pour revenir quelques instants après, avec un fusil à canon double que le Vieux Soriba jette dans son puits.

— Laissez Namori pleurer, conseille Solo en prenant congé. Surtout ne le consolez pas. Les larmes diminuent l'intensité de la colère. J'ai moi aussi un vieux compte à régler avant que les militaires soient tout à fait maîtres de la situation.

Il se met à la tête des manifestants et les conduit chez le juge de paix qui, autrefois, l'avait fait incarcérer pour injures à magistrat dans l'exercice de ses fonctions. Sous la menace, celui-ci avoue qu'il avait agi ainsi moyennant un pot-de-vin offert par le Père Kadri qui voulait, à tout prix, imposer un certain Gabriel Touré comme coiffeur attitré en remplacement de

Kompè. On lui demande le montant de la somme, le prix de sa conscience de magistrat pour changer le vrai en faux, le faux en vrai, pour donner au cuivre la pureté de l'or. Il le révèle ; et la foule en délire lui ordonne d'en dédommager Solo.

Et voilà que surgit, par le Pont Dimbourd et la Maison Carrée, par le hangar maudit et la grande place, le Père Kadri, menant sa bicyclette à vive allure. Et il jure : « Bon Dieu de Bon Dieu ! », dénonçant la manigance de Solo qui se cache dans la foule. Les manifestants le reçoivent comme un triomphateur, le couvrent de fleurs et d'éloges. Ils rappellent que c'est lui, Père Kadri, qui a planté fromagers et kaïlcédrats, donnant à Kouta cet air coquet, et les protégeant de la chaleur.

Le Père Kadri sourit et dit : « Je viens seulement apporter la motion de soutien de mes paroissiens. Mais ne touchez plus aux arbres ! Les miliciens et les brigadiers de vigilance leur ont déjà fait beaucoup de tort, puisqu'ils ont donné une branche à chaque militaire. »

*

Trois hommes font irruption dans le bureau de Cheickh Diawara, le commandant de cercle. Un bureau surchauffé bien que nanti de deux climatiseurs. Cheickh Diawara ne les avait jamais fait fonctionner. Il disait que l'un des plus grands criminels dans l'Histoire de l'Afrique, c'était le premier haut fonctionnaire qui avait appuyé sur le bouton d'un climatiseur.

A côté de Cheickh Diawara, un transistor diffuse les motions de soutien. De temps à autre, à entendre un nom, il sourit et se remet à écrire sans accorder la moindre attention aux militaires. L'un garde la porte et les deux autres les fenêtres.

Un officier entre, se met au garde-à-vous et salue. Cheickh Diawara lui tend la main et sourit.

— Mon Commandant, voulez-vous vous mettre à la disposition de l'Armée Darakoise dirigée par le Conseil National de Salut Public ?

— Non ! fait Cheickh Diawara sur un ton ferme, comme pour couper court à toute tractation. L'Armée Darakoise n'est qu'une fraction du peuple.

Il prend un dossier posé derrière lui, sur une étagère, et le consulte.

— Vous le savez, mon Commandant, Bagabaga Daba était fou. Ce culte de la personnalité...

— Mon Lieutenant, le culte de la personnalité est toujours d'essence populaire. J'en suis responsable autant que vous.

— Vous savez, mon Commandant, je suis un militaire qui reçoit des ordres, les exécute...

— Parlez plus clairement, mon Lieutenant.

— Nous voulons une motion de soutien signée de votre main.

— Non ! se fâche le commandant. C'est un

usage bien établi dans toutes les armées que d'avoir du respect pour les vaincus.

— Mais vos miliciens ?...

— C'était pour prévenir ce qui se passe aujourd'hui. Et sur ce point précis, nous avons échoué. Je vous l'accorde.

— Vous savez, mon Commandant, le Conseil National de Salut Public a la plus haute estime pour vous. Il sait tout ce que vous avez fait à Kouta, tout ce que vous représentez en République de Darako.

— Un compliment venant de l'adversaire est bien réconfortant.

— Pourquoi parlez-vous d'adversaire ? Nous vous voulons comme ministre. A vous de désigner le portefeuille de votre choix.

— Non ! Je ne peux vous cautionner. Et que penseront de moi les autres camarades ?

— Arrêtés ! Presque tous arrêtés et déportés dans le sud du pays. Et tous les militaires qui, comme vous, ont refusé de coopérer...

Il fait une pause, et puis poursuit.

— Cheickh, c'est l'ami d'enfance qui te parle. C'est compte tenu de nos liens qu'on m'a dépêché auprès de toi. Et je me suis fait fort de te convaincre.

Le commandant se lève, visiblement ému. Il allume une cigarette et marche de long en large. Ensuite il ouvre un coffre, sort un dossier portant la mention « confidentiel » et le met sur la table, bien en évidence.

— Voici le seul dossier sur lequel on peut me

juger, dit-il. Je t'en prie, Tidiane, remets-le à mes enfants. J'exige ce service de toi, au nom de notre fraternité de case. Maintenant, téléphone au Président du Conseil National de Salut Public et dis-lui que je suis un inconditionnel du Président Bagabaga Daba, de ses réussites et de ses erreurs.

L'officier, les yeux brouillés de larmes, fait un signe convenu aux militaires qui gardent les issues. Et tous les trois braquent leurs armes en même temps sur Cheickh Diawara qui sort de son bureau, sous bonne garde.

Les manifestants s'arrêtent d'injurier et le saluent avec déférence tandis qu'il prend place dans une jeep soviétique, entre deux militaires.

IV

— Assalamalekoun ! dit enfin l'Imam, pour clore la prière de l'aube.

Namori soupire de satisfaction, serre la main de ses deux voisins, s'apprête à se lever pour prendre sa bicyclette, un fouet à double lanière accroché au guidon quand l'Imam se retourne, les mains grandes ouvertes et demande aux fidèles de lui accorder quelques instants d'attention. Il parle longuement de la tolérance et du pardon, et rappelle qu'un bon musulman ne doit jamais se venger, mais s'en remettre à Dieu pour les injustices dont il a été la victime. Et pour donner plus de poids à son sermon, il déclame des versets pris au Livre Saint ou aux hadiths. Il cite en exemple le Prophète qui, alors qu'il priait, reçut un fœtus de brebis sur la tête, se retourna et dit à son agresseur : « Je te pardonne. » Il rappelle que Muhammed, le dernier des messagers d'Allah, accorda une amnistie aux Mecquois après la prise de la ville, interdisant à ses partisans toute vengeance.

Après avoir clos ce chapitre, l'Imam en ouvre un autre : l'amour du pays natal, et le prescrit, en toute circonstance, comme un devoir religieux selon la loi de Dieu transmise par son Prophète. Enfin, il esquisse un geste pour se lever. Et voilà que les mounafikis* se mettent à poser

* *Hypocrites.*

des questions sur des sourates qu'ils n'ont pas lues, sur des hadiths inconnus des autres. L'Imam répond en prenant tout son temps, comme pour tenir Namori sur le gril. Et quand les questions sont épuisées, il demande aux fidèles de réciter sept fois la Fatiha* pour que Dieu, dans sa clémence, guide les nouveaux maîtres du pays vers les chemins de la lumière.

Namori est à bout de patience. Il n'a rien contre les militaires. Mieux !... A l'annonce de leur action d'éclat et après avoir pleuré, il a adressé une motion de soutien au Conseil National de Salut Public. Il se demande pourquoi il a pris place juste derrière l'Imam, comme ont coutume de le faire tous ces mounafikis, pour être vus, bien en évidence. Après que chacun a récité sept fois la Fatiha, l'Imam bénit la République de Darako et rappelle sa prestigieuse histoire en se gardant bien de parler des militaires, car, conclut-il, un guide de la prière ne doit être qu'un partisan de son pays. C'est alors que Daouda demande que l'on dise sept fois la Fatiha pour le repos de l'âme de Cheickh Diawara qui a été passé par les armes. L'Imam accepte et dit qu'un bon musulman peut même prier pour Bagabaga Daba.

« Si je m'en allais ? se demande Namori. Si je m'en allais avant qu'on ne propose de prier pour les miliciens ? »

Il invoque, en guise d'excuse, son métier de

* *Ouverture du Coran composée de sept versets.*

boucher depuis l'abattage des bêtes jusqu'au transport de la viande, avant l'arrivée des ménagères à son étal. L'Imam répond qu'un musulman, pressé par son travail, peut surseoir à ses obligations religieuses.

Namori sort de la mosquée, en poussant un soupir de soulagement et s'en va, la jante de sa bicyclette frottant contre la fourche arrière, son fouet à double lanière sur l'épaule.

*

Déjà le soleil éclaire les toits de chaume qui sortent de l'ombre. Les oiseaux ont entrepris leurs gazouillis, libérés des craintes de la nuit. Une épaisse fumée flotte sur le village. Çà et là, on entend les pleurs d'un enfant qu'une mère console ou réprimande. Et le village s'éveille.

Namori a l'impression d'arriver trop tard. Cependant, il appuie son vélo grinçant contre le mur d'un vestibule et entre dans une cour où des femmes s'affairent autour d'un grand chaudron. Elles rendent à Namori son salut et s'inquiètent d'une visite si matinale quand il demande Robert Diakité. Namori répond que la nouvelle, si elle est importante et urgente, n'est pas mauvaise. L'une d'entre elles, probablement la femme de Robert Diakité, propose de le réveiller. Namori s'y oppose fermement.

— Il ne faut jamais réveiller un homme qui dort, dit-il. Et puis, la nouvelle, si elle est importante, n'a rien de grave. Et il n'est jamais trop tard pour apporter une bonne nouvelle aux hommes.

Les femmes qui préparent le petit déjeuner, une bouillie de maïs assaisonnée de miel et de tamarin, remarquent le fouet à double lanière que Namori porte sur l'épaule et se rassurent parce que, depuis la chute de Bagabaga Daba, tous les hommes qui baissaient la tête, criaient les slogans inventés par les intellectuels, ont repris des airs virils et dégagés. Et certains poussent leur comportement jusqu'à l'extravagance. Et puis, à partir d'un certain âge, à Kouta, un homme a le droit de s'armer d'un fouet pour menacer au passage les enfants qui se battent. Elles se rassurent enfin en pensant que Namori vient d'aider le Vieux Soriba à conduire ses ânes au pâturage.

On lui offre une chaise longue ; il s'y assied, au beau milieu de la cour, tandis que les femmes refroidissent la bouillie assaisonnée de miel et de tamarin. Une odeur d'urine et de pneus surchauffés prend Namori à la gorge. Il manifeste une certaine impatience et se plaint d'un courant de fraîcheur. La femme de Robert Diakité propose à nouveau de réveiller son mari pour qu'enfin Namori livre cette nouvelle importante, urgente, mais bonne. Celui-ci refuse obstinément : « J'ai tout mon temps », dit-il.

On lui suggère d'entrer dans la chambre de Robert Diakité pour se mettre à l'abri de ce courant de fraîcheur qui lui donne le frisson. Il accepte et s'assied sur une chaise, dans la pénombre.

Robert Diakité dort en ronflant. Namori remarque qu'il a rasé sa barbe. Une femme apporte une bolée de bouillie pour que le visiteur se rince la bouche. Il la boit, son fouet à double lanière sur les genoux. Le bruit qu'il fait en avalant réveille Robert Diakité. Les deux hommes se regardent et l'ancien milicien ferme les yeux précipitamment pour les rouvrir quelques instants après. Il se redresse sur son lit et Namori lui souhaite le bonjour. Robert Diakité répond de mauvaise grâce et demande la raison de sa visite.

— Ne me reconnais-tu pas ? interroge Namori.

— Non ! répond Robert Diakité, les yeux braqués sur le fouet à double lanière.

Namori énumère alors les nombreux forfaits dont Robert Diakité s'est rendu coupable lorsque, sous son commandement, les miliciens faisaient la loi à Kouta. Il lui rappelle que, non content de l'avoir mis dans des pneus superposés, il l'avait aspergé d'urine tandis qu'il criait de soif.

Robert Diakité veut se rendormir pour ne pas en entendre davantage et se soustraire à la vue de ce fouet à double lanière. Namori pisse dans le bol qu'il vient de vider et asperge Robert Diakité de son urine. Ensuite il se met à le frapper comme un forcené. L'ancien chef de la milice sort dans la cour, nu, en hurlant. Et Namori le

66

poursuit en frappant de toutes ses forces, les larmes aux yeux. Il hurle plus fort que Robert Diakité, sous lo regard apeuré des femmes.

Le voisinage accourt. Namori enfourche sa bicyclette et s'en va, detendu, son fouet sur l'épaule, en promettant de revenir tous les matins, à la même heure, jusqu'à ce qu'il assouvisse sa vengeance.

*

Namori revient le lendemain, avant la prière de l'aube pour ne pas être en retard sur les premiers rayons de soleil.

— Il t'attend, disent les femmes qui refroidissent la bouillie du matin. Il attend, résigné à subir son châtiment.

Mais dans la chambre de Robert Diakité, Namori trouve l'Imam, Daouda, Solo et le Vieux Soriba. Ses amis lui rappellent qu'à tirer sur la queue de l'âne il y a une limite. L'Imam lui concède qu'on peut terrasser son ennemi et le battre, mais qu'il ne faut jamais poser son pied sur sa poitrine pendant qu'il est à terre et fumer sa pipe.

— J'ai là, sur l'estomac, une boule de colère qui ne demande qu'à éclater. Aidez-moi, pour l'amour de Dieu ! supplie Namori.

L'Imam rétorque que le meilleur moyen de se défaire de cette boule, c'est de pardonner. Il invite Robert Diakité à se mettre à genoux devant Namori et à crier grâce.

Le boucher se met à pleurer tandis que Solo,

prudent, se fraie un chemin vers le vestibule. A la surprise générale, Namori fouette de toutes ses forces Daouda et le Vieux Soriba, au hasard, en hurlant de rage. Et c'est maintenant l'Imam et Robert Diakité qui tentent de le maîtriser. Puis il enfourche sa bicyclette et s'en va, en maudissant ces faux frères de case qui, au lieu de l'aider à assouvir sa vengeance, ont retenu son bras.

— Bissimilaï* ! s'écrie l'Imam en sortant précipitamment de la maison pour fuir la cohue qui s'y engouffre.

Robert Diakité s'en prend à Daouda et au Vieux Soriba. Il crie à l'intention de Namori que ceux-ci sont des faux frères de case, que selon toutes les bonnes traditions, ils devaient laisser Namori le battre même si celui-ci avait tort d'agir de la sorte. Mieux ! l'aider à assouvir sa vengeance ! Oui, l'aider à le battre. Il promet d'attendre Namori tous les matins jusqu'à ce qu'il se débarrasse totalement de cette boule de colère qui gêne sa respiration. Il lui suggère de venir au premier chant du coq, tandis que ses faux frères de case se retournent dans leur sommeil et que l'Imam s'absorbe dans la compréhension de ces signes cabalistiques auxquels il ne trouvera jamais de sens.

— Bissimilaï ! dit l'Imam, en s'éloignant. Ou le monde s'est retourné ou je sors d'un mauvais rêve.

* Dans ce contexte il exprime la frayeur.

Robert Diakité crie de plus belle à l'intention de Namori, couvrant Daouda et le Vieux Soriba d'injures Il promet d'interdire dorénavant l'accès de sa maison à ces intrus, ces hypocrites qui, au lieu de venir en aide à un frère de case, le laissent aller, avec, sur l'estomac, une boule de colère aussi grosse qu'une orange.

— J'ai perdu deux faux frères de case mais, en revanche, je me suis fait un ami, répond Namori.

— Bissimilaï ! s'écrie l'Imam en pressant le pas.

Aux fidèles qui, sortant de la mosquée, s'étonnent de son empressement à regagner sa maison, ses disciples et ses kitabs*, il répond :

— Allahou akbar ! les bras levés vers le ciel et sans s'arrêter.

*

Le lendemain, au premier chant du coq, Robert Diakité est réveillé par le grincement d'un vélo. Il ne comprend pas que ses belles paroles n'aient eu aucun effet sur cette boule de colère que le boucher porte sur l'estomac.

— Tu es revenu ? s'étonne-t-il.

— J'ai répondu à ton invitation, ricane Namori.

Et personne dans la chambre pour le retenir ou calmer son ardeur à frapper de son fouet à double lanière...

* *Livre.*

V

Le Vieux Soriba arrive à l'étal du boucher, accompagné du facteur qui présente à Namori un avis de mandat expédié de Darako : « Vieux Soriba Diarra, notable à Kouta. » Il vient de Tanga, la grande vedette de la chanson darakoise. Le facteur jure à Namori, qui ne sait ni lire ni écrire, que la chose est vraie, que le Vieux Soriba pourra percevoir son argent sans la moindre tracasserie, sinon la trace de son doigt sur un registre. Le Vieux Soriba prête serment sur le Livre Saint, sur Tanga, ce fils béni de Dieu, qu'il viendra s'acquitter de sa dette et même des arriérés, dès qu'il aura encaissé son mandat. Namori sourit et lui demande le morceau de son choix. Le Vieux Soriba désigne un gros jarret - autant - de chair - que - de moelle. Namori veut le couper en tranches.

— Non ! dit le Vieux Soriba. Tu feras couler la moelle.

Alors qu'il s'en va, la figure au beau temps, Namori l'appelle, enveloppe un énorme filet dans un papier journal et le lui tend. Le Vieux Soriba, étonné, l'interroge du regard.

— C'est pour toi, dit Namori. Les petits cadeaux entretiennent la fraternité de case, et les temps ont changé. Vous m'avez tous mal jugé, alors que du temps de Bagabaga Daba, je ne pouvais pas être bon à la fois pour les autres et pour moi-même. Sous l'orage, il faut se soucier de son fardeau quand on en porte un, et non de celui de son compagnon. Au temps de Bagabaga Daba, je ne pouvais être secourable pour autrui et pour moi-même.

Le Vieux Soriba hésite, tend la main pour recevoir ce cadeau auquel il n'avait jamais rêvé. Il grimace un sourire et tourne le dos à Namori.

— A-t-on jamais vu l'hyène refuser de la viande ? plaisante le boucher.

— L'a-t-on jamais vue l'offrir ? rétorque le Vieux Soriba. Un marabout ou un féticheur t'a certainement conseillé un sacrifice, et tu me donnes ce filet pour que l'esprit malin qu'un ennemi t'a envoyé change de direction et s'en prenne à moi.

— C'est faux ! commence par se fâcher Namori.

Mais il se ravise. Il sait que si le Vieux Soriba dit non, la seule façon de le faire revenir sur sa décision c'est de l'amadouer, de le flatter par de belles paroles ou de s'en remettre à une femme.

Les ménagères qui se querellent devant l'étal, mettent fin à leurs disputes et toutes s'étonnent de voir le Vieux Soriba, cet homme qui se mêle volontiers à leurs groupes pour avoir un bon morceau de viande, refuser obstinément un filet d'environ deux kilos. Togoroko, l'idiot du village, exprime sa surprise.

— Désormais, il y aura deux lunes pour éclairer Kouta, dit-il.

N'godè, l'infirmier du dispensaire qui sort de la boutique de Daouda, s'arrête et conseille au

Vieux Soriba de prononcer la formule « Astafu-rulaye » qui conjure le mauvais sort, de prendre le cadeau malin et de l'offrir à un homme entre deux âges.

— Non ! Je dis non ! Et c'est non, répète le Vieux Soriba.

Et voilà que Togoroko ameute tout le marché : « Désormais, deux lunes ! Il y aura doré-navant deux lunes pour éclairer Kouta. »

Ses cris attirent marchandes de condiments, tailleurs et badauds qui forment une cohue devant l'étal de Namori.

— Non ! crie le Vieux Soriba. Je dis non, et c'est non ! Si tu minimises un complot, un coup bas, c'est qu'il a été tressé en ta présence. Je ne veux pas de ce filet.

Daouda et Solo arrivent à leur tour. Informés de la méfiance du Vieux Soriba face à ce cadeau, ils s'en prennent à celui-ci et l'accusent de toujours prêter aux autres de mauvaises intentions, et cela depuis leur retraite initiati-que. Solo se déclare prêt à accepter ce filet et toutes ses conséquences. Namori refuse obstiné-ment. Il jure que de tous ses frères de case, morts ou vivants, le Vieux Soriba est celui qu'il aime le plus.

— Non ! répète celui-ci, sans se lasser, je ne veux pas d'un cadeau décidé à l'heure où les voleurs et les brigands se demandent : « Fera ou fera pas. »

Et Togoroko continue à crier : « Deux lunes, et en plein jour !... L'une à l'Est et l'autre à l'Ouest ! » Et voilà que tout Kouta sait que le Vieux Soriba, cet amateur de viande, a refusé un filet offert par cœur-sec-comme-gésier-de coq.

Cependant, le Vieux Soriba fléchit sous la pression de l'assistance.

— J'accepte ce cadeau à la seule condition qu'il soit approuvé par l'Imam, dit-il.

Tout le groupe réuni devant l'étal du boucher, marchandes de condiments, de galettes, tailleurs et badauds, se rend à la mosquée. On expose les faits à l'Imam. Il écoute Namori attentivement comme pour déceler la moindre faille dans son raisonnement. Ensuite il demande au Vieux Soriba les raisons de son refus. Et après avoir longuement médité :

— Allahou Akbar ! dit-il, les bras levés vers le ciel. Autant que je me souvienne, il est écrit : « Croyants ! évitez de vous laisser trop aller aux soupçons. Il est des soupçons qui sont de vrais péchés. »

— La sentence est rendue ! crie la foule qui se disperse.

Namori prend le Vieux Soriba à part et lui dit qu'il serait très heureux s'il le conviait ce soir à partager son repas.

— Il est reconnu, répond le Vieux Soriba, qu'en se serrant un peu autour de mon plat, il y a toujours une place pour l'ami ou l'étranger. Le Prophète — que son nom soit vénéré — eh bien, le Prophète disait...

— Qu'il ne fallait rien ajouter ou retrancher

au message que Dieu l'a chargé de nous transmettre, ricane Namori en se dirigeant vers son
étal.

*

Les deux hommes mangent en silence un
couscous arrosé d'une sauce moelleuse. Et pour
la circonstance le Vieux Soriba a déployé un
tapis multicolore dans sa case d'homme. Ses
trois femmes sont là, à sa disposition, comme
autrefois, avant cette sécheresse quand il faisait
bon vivre. Il a chargé Bintou, la plus jeune, de
soigner Namori et d'arroser le plat où il creuse.
« Mais pour la viande ? — Ah ! pour la viande
n'oublie pas que c'est moi ton mari. Pousse de
temps à autre un morceau vers ce gêneur à la
puanteur de charogne. »

Le Vieux Soriba avait ordonné qu'aupara-
vant l'on brûle de l'encens dans le vestibule
pour prévenir cette odeur qui souvent émane des
latrines. « Amy, avait-il dit à sa première
femme, si Solo vient ce soir sous le prétexte
d'une course urgente, chasse-le poliment en lui
disant que je suis couché, pris d'une fièvre
subite. » Il avait même voulu qu'un joueur de
nkoni* berce Namori, ce frère de case qui, après
la chute de Bagabaga Daba, de ses miliciens et
brigadiers de vigilance, lui avait offert un filet

* *Guitare tétracorde.*

74

d'environ deux kilos. Il avait abandonné cette idée de peur que tout ce vacarme n'attire quelque plque assiette.

« Un filet ! » se dit le Vieux Soriba. Quand les Blancs faisaient la loi, tout Koutanké qui demandait un filet au boucher était accusé de vouloir prendre la part du commandant et risquait fort d'être incarcéré. Pendant le règne de Bagabaga Daba, parler de filet c'était s'exposer au courroux des miliciens, c'était proférer une parole pour laquelle on pouvait vous fendre la bouche jusqu'aux mâchoires. Et puis, il faut le dire — et Dieu aime la parole droite — Amy, sa première femme qui est de cuisine en ce jour béni, l'a travaillé, ce filet. A peine on y mord qu'il fond dans la bouche avec oh ! rien, un arrière-goût de gros poivre vert.

Namori mange plus de couscous que de viande et le Vieux Soriba s'en réjouit. Namori soulève des poignées si grosses qu'on est tenté de dire à chaque fois : « C'est la dernière. » En fait, c'est Namori, ce soir, le maître de maison puisque le Vieux Soriba n'a fait que prêter sa case d'homme et les services de ses femmes.

Mais soudain le Vieux Soriba s'aperçoit que Bintou ne respecte plus ses instructions, qu'elle est trop prévenante et à la limite, obséquieuse, par son ardeur à pousser les morceaux de viande vers Namori. Et voilà que celui-ci, contrairement aux usages, l'exhorte, lui, le maître de maison, à bien manger. Le Vieux Soriba fronce les sourcils pour rappeler à Bintou ses instructions. Et voilà que les deux hommes se disputent les morceaux de viande que le Vieux Soriba va chercher là où Namori creuse.

Le plat vidé, ils se font des bénédictions, vantent les talents de la femme qui a si bien parlé à ce filet et remercient les deux autres pour la délicatesse de leurs soins.

Bintou apporte deux noix de cola blanches et le Vieux Soriba s'aperçoit que c'est à Namori qu'elle donne la plus grosse : « Ma femme serait-elle amoureuse de cet homme qui empeste et de bien loin ? » se demande-t-il.

Les femmes se retirent, laissant les deux hommes en tête-à-tête. Namori avoue qu'il ne mange jamais de filet chez lui.

— Et pourquoi cela ? s'étonne le Vieux Soriba.

— Ma femme s'y oppose, sourit Namori. C'est un des tabous de son clan. Il fallait bien que je fête, moi aussi, la chute de Bagabaga Daba.

« Voilà quelqu'un qui ne fait rien sans arrière-pensée », se dit le Vieux Soriba.

Namori prend le gobelet d'eau et se rince la bouche.

— Al hamdou lillahi !* dit-il, bénissant son repas, avant son hôte, en maître de maison.

— Al hamdou lillahi ! reprend le Vieux Soriba, sans chaleur.

* *Louange à Dieu.*

Namori boit goulûment tandis que le Vieux Soriba fait une moue méprisante.

— Combien de fois t'ai-je dit qu'il ne faut pas boire tout de suite, après avoir mangé de la viande ? dit le Vieux Soriba. Boire immédiatement, sur la viande, c'est lui enlever tout bénéfice pour la terre et pour soi-même. L'homme qui attend au moins une heure pour boire, après avoir mangé de la viande, est un bienfaiteur : là où il pisse, l'herbe pousse dru ! C'est parce que les gens ont foulé aux pieds cet usage que la sécheresse s'est abattue sur la République de Darako.

Les deux hommes se serrent la main et le Vieux Soriba s'aperçoit que la poignée de Namori est un peu rude. Il s'en effraie et attend, se disant que celui-ci avait à lui parler puisqu'il s'était imposé en sollicitant une invitation.

— J'oubliais ! s'écrie Namori.

Le Vieux Soriba sursaute et dresse une oreille attentive. Namori sort une liasse de billets si grosse que son convive est saisi de tremblements. Il la compte longuement et pose cinq billets de mille, bien en évidence, sur le tara. Ensuite il appelle les femmes du Vieux Soriba et donne à Amy, la plus âgée, les cinq mille francs.

— C'est pour toi et tes petites sœurs, dit-il en regardant Bintou, comme pénétré d'une certitude. Voici juste de quoi acheter une noix de cola. Merci pour ce repas. Malgré la voracité du Vieux Soriba et sa rapidité à s'emparer des morceaux de viande, j'ai bien mangé.

— Ne m'appelle plus jamais « Vieux Soriba », se fâche son hôte. Tu m'entends ? Plus jamais ! Mes cheveux ont précocement blanchi, c'est vrai. Les tiens sont encore grisonnants, c'est aussi vrai. Mais les anciens affirment que tu es mon aîné d'au moins deux ans. Mes cheveux sont blancs ? C'est à cause de toutes les vicissitudes que j'ai connues. Mon père — le repos éternel sur lui — ne m'a laissé que quelques ânes tandis que le tien te léguait une boucherie. Et pendant douze ans, tu as vagabondé dans les pays étrangers. Les mauvaises langues — Dieu nous garde de leurs médisances — disent que tu as été coupeur de routes, brigand des grands chemins. Si mes cheveux ont blanchi, c'est que je suis resté dans le droit chemin de l'honneur. Or il faut le reconnaître, et sans médisance aucune, dans ta vie il y a une tache noire que tu ne pourras jamais laver.

Les femmes s'amusent de cette repartie et sortent du vestibule, tandis que Namori les accompagne d'un regard langoureux.

Le Vieux Soriba commence à se poser des questions : « Un filet pour moi, plus exactement à manger avec moi sous le prétexte que c'est un tabou de son étrangère de femme. Cinq mille francs pour mes femmes. Et Bintou, la plus jeune, lui offre une noix plus grosse que la mienne. Et puis ce langage poli, presque raffiné, lui qui ne sait que proférer des injures... »

— Tu as sorti mon fusil de ton puits ?

demande Namori en plantant son regard dans les yeux du Vieux Soriba .

— Non ! fait celui-ci, en sursautant.

— Un fusil dans un puits pendant près d'un mois ? Il doit être rouillé à l'heure qu'il est, sourit Namori. J'ai déjà contacté un armurier à Darako. Quinze mille francs, m'a-t-il dit, pour le remettre en état.

Il ressort sa grosse liasse de billets et la compte en prenant tout son temps. Ensuite il pose quinze mille francs sur les genoux du Vieux Soriba.

— Toi qui vas souvent à Darako, dit-il, fais-moi l'amitié de porter mon fusil à l'armurier qui tient un atelier non loin de la grande mosquée. Sembène Ousmane qu'il s'appelle. Encore « un Sénégalais-augmente-un-peu-que-je-diminue ».

Et comme pour donner le coup de grâce au Vieux Soriba, il lui offre cinq mille francs pour les frais de transport et ses menues dépenses. Puis il prend congé, avec assurance, disant que la nuit commence de vieillir.

Le Vieux Soriba reste sans réaction et passe une nuit blanche avec la conviction que Namori l'a marabouté. « Mais pourquoi ? Pour lui prendre qui ? se demande-t-il. Bintou à la croupe ondulante même sous le pagne... Elle n'ira plus jamais à son étal, décide le Vieux Soriba. Elle n'ira pas, même si elle est de cuisine. D'ailleurs elle ne sait pas choisir la viande. »

Le Vieux Soriba se promet de consulter le lendemain le plus grand des féticheurs de Kouta, dès le lever du soleil.

*

Nogobri donne quatre cauris au Vieux Soriba.

— Confie-leur tes tourments, dit-il. Ils parleront pour moi. Je ne suis qu'un interprète.

Le Vieux Soriba les prend et parle d'une voix imperceptible, tandis que le devin scrute son visage.

— Maintenant, jette-les ! ordonne Nogobri.

Le Vieux Soriba s'exécute d'une main tremblante. Trois cauris s'ouvrent et le dernier se ferme.

— Prends-les et recommence, dit le devin.

Trois cauris se ferment. Et c'est au tour du Vieux Soriba de fixer Nogobri pour déceler dans son regard une marque d'inquiétude.

— Faisons un dernier essai, conseille celui-ci. Les génies aiment qu'on les sollicite trois fois.

Le Vieux Soriba pousse un soupir comme pour se défaire d'une oppression. Mais les quatre cauris se ferment et le visage de Nogobri se durcit. Il mélange les quatre cauris aux huit autres qu'il a sous la main et les disperse. Une grappe de cinq cauris dressés ! Le devin les prend à tour de rôle et en frappe le sol en proférant des injures contre un égoïste qui, au lieu de se satisfaire de ce que Dieu lui a octroyé, veut arracher à la force du poignet le bien d'autrui. Il rassemble de nouveau les douze cauris et les jette nerveusement, les yeux écarquillés. L'un se détache de tout le groupe, fermé et tourné vers l'ouest. Le devin le considère, les yeux haineux et se met à maudire, appelant ses ancêtres et ses maîtres au secours : « Puissant ! dit-il. Voilà quelqu'un de bien puissant. Il n'a rien laissé au hasard. Que mes ancêtres me secondent ! Voilà quelqu'un qui n'a rien négligé. »

— Qui ça ? demande le Vieux Soriba, dominant son angoisse.

— Quelqu'un qui t'est proche. Donne-moi le temps que je le saisisse, que je le démasque ! Mais il est si puissant ! Ou plus exactement, un grand féticheur a travaillé pour lui.

Furieux, il prend les cauris et les jette.

— As-tu parmi tes relations quelqu'un qui possède un objet détonant ? Un objet qui gronde comme le tonnerre ?

— Oui, souffle le Vieux Soriba.

— Un homme qui n'est ni trop clair ni trop noir. Il a une couleur d'amande de karité... Non ! ne dis rien.

De la main il aplanit un tas de sable et le frappe de traits verticaux coupant une horizontale.

— C'est un homme qui se dégarnit par le sommet du crâne. Pour dire vrai, pas comme un charognard, mais juste ce qu'il faut pour le distinguer des autres.

— Oui ! crie le Vieux Soriba, c'est Namori.

— Les génies n'aiment pas qu'on prononce le

nom de ceux qu'ils démasquent ! menace le devin. Tu donneras un vieux boubou à un mendiant pour prévenir leur colère.

— Je le ferai, aujourd'hui même, promet le Vieux Soriba.

— Attends vendredi, après la grande prière, conseille Nogobri.

Il prend une calebasse, la remplit d'eau où il fait tourner trois morceaux de charbon.

— Cet homme au crâne pelé veut te prendre quelque chose que tu affectionnes plus que tout au monde. Quelque chose que tu aimes autant que le Père Kadri aime les arbres.

— Ma femme ! hurle le Vieux Soriba. Ma jeune femme ! Namori veut m'enlever Bintou.

— Et que n'a-t-il pas fait pour parvenir à ses fins ? ajoute Nogobri. Il a même égorgé, perché sur un arbre, un coq noir tacheté de blanc après avoir enterré, vivant, un chien roux et blanc dans une plaine à l'ouest de Kouta.

— Et quel sacrifice dois-je faire pour contrecarrer les manigances de cet homme au crâne pelé ?

Le devin regarde le Vieux Soriba avec de pauvres yeux, le visage défait :

— Aucun ! dit-il, sinon déterrer ce chien, roux et blanc enfoui dans une plaine immense à l'ouest de Kouta. Et si un devin, un confrère, te conseillait d'abattre béliers et taureaux, il aura menti. Si tu veux la vie sauve, Soriba, compose avec cet homme qui porte une pelade au sommet du crâne.

Le Vieux Soriba sort son portefeuille. D'un geste impérieux Nogobri l'arrête.

— Non ! se lamente-t-il. Je ne peux accepter puisque je suis impuissant à voiler le soleil de ton ennemi.

Il rassemble son sable, en fait un tas et le met dans un sachet. Le Vieux Soriba prend congé tandis que le mot « ennemi » lui donne le vertige. Il se rappelle cette pensée des anciens : « Le pouvoir, l'enfant et surtout la femme peuvent opposer l'ami à l'ami, le frère à son cadet ou le père à son fils. »

Et lorsqu'il croise Namori sur le Pont Dimbourd, une frayeur le prend tandis que celui-ci le salue d'un large sourire et vante la prévenance de ses femmes. Le Vieux Soriba grimace un sourire et entre furtivement dans sa boutique. « Le malheur ! soupire-t-il. Comment l'éviter ? Dites-moi, braves gens, comment se ranger du malheur ? Ou bien tu te le crées, ou bien quelqu'un te l'apporte, à domicile. En passant et à la poursuite de quelqu'un d'autre, il peut te tomber dessus, sans dire ni pourquoi ni bonjour. »

VI

Namori arrive chez Nogobri aux environs de midi et le trouve assis dans le clair-obscur de sa case, parmi ses fétiches, occupé à préparer ses mixtures et ses baumes.

Le boucher avait laissé sa bicyclette trois maisons plus loin pour ne pas éveiller de soupçons. Le devin ne lui rend pas son salut, et Namori crie plus fort. Nogobri dresse l'oreille et s'accuse d'une surdité soudaine. Une liasse de billets tombe entre ses jambes écartées. Il s'en empare, la compte attentivement et dit que si le poisson est dans la nasse, le menu fretin s'en est échappé. Namori lui jette quelques billets en supplément. Nogobri les ajoute aux autres, compte à haute voix et dit qu'il manque le prix d'une noix de cola. Le boucher lui lance des pièces de monnaie. Il les ramasse en poussant des glapissements.

Les deux hommes se regardent, sans rien se dire ; et c'est le devin qui rompt le silence.

— Plus que tout au monde, j'aime la viande et le sucre : l'onctueux et le mielleux, comme disaient mon père et mon grand-père, avant lui.

Excédé, Namori laisse tomber deux billets de cinq cents francs. Nogobri sourit et se plaint de la cherté de certaines denrées tels le riz et l'huile. C'est alors que Namori fait mine de pleurer en mordant son poing. Nogobri comprend qu'il ne faut pas aller plus loin, que le profit venant d'un homme de bien se mange à petites doses. Et puis — tout le monde le sait — quand Namori pleure, c'est qu'il va frapper.

— Comment a-t-il réagi ? demande le boucher.

— J'ai agi selon tes instructions. Je lui ai fait croire que tu veux lui prendre sa jeune femme, que rien ni personne ne peut lui venir en aide, et que s'il te résistait, il s'en irait dans l'autre monde.

— Et il t'a cru ? s'étonne Namori.

— On peut faire croire n'importe quoi à un homme pétrifié d'angoisse, dit le devin. Et si tu l'avais vu sortir d'ici !...

Nogobri se fend la bouche d'un rictus triomphant qui se transforme en un gros rire.

— Sa jeune femme ! s'exclame Namori.

— Je ne sais pas ce que tu lui veux, et ce n'est pas mon affaire, ricane le devin.

Les deux hommes sont pris de fou rire et se donnent des bourrades. Et quand ils retrouvent leur calme :

— Ramolli ! crie Nogobri. Je l'ai ramolli comme une Mauresque après un séjour chez sa masseuse. Je ne sais pas pourquoi tu m'as confié un tel travail, et ce n'est pas mon affaire ; mais désormais le Vieux Soriba est à toi, comme le mouton de tabaski appartient à celui qui l'a acheté et engraissé.

Profitant de la bonne humeur de son client, Nogobri se plaint à nouveau de la cherté de certaines denrées. Namori répond que Dieu dans sa clémence viendra bientôt en aide aux honnêtes gens de Kouta. Et il ajoute, en prenant congé : « Tant que Dieu résidera dans le septième ciel, le charognard ne mangera jamais de l'herbe.»

Nogobri saisit toute la charge ironique de cette sentence et menace de tout dévoiler au Vieux Soriba.

— En ce cas, tu ne seras plus crédible à Kouta, ricane Namori. Nous sommes complices, à tout jamais.

Méprisant, il rentre dans la case et foule aux pieds les fétiches et les canaris remplis de mixtures et de baumes.

— Te voilà prévenu ! menace-t-il.

*

L'après-midi, après la prière du lagansara*, le Vieux Soriba est couché dans son vestibule, sur un tara. Il essaie de dormir un peu, de donner un rien de répit à son esprit enflammé quand un homme qu'il n'avait jamais vu à Kouta le salue :

— As-tu passé une bonne matinée ?

Cette formule, des plus saugrenues, irrite le Vieux Soriba qui se redresse. Une bonne matinée quand on veut lui prendre un bien précieux ! Bintou et son sourire éclatant, sa croupe et cette démarche frissonnante comme un poisson qu'on vient de pêcher...

Le Vieux Soriba se contraint à la politesse. Il essaie même de sourire.

---

* *Prière entre seize et dix-sept heures.*

— Une bonne matinée, en vérité, dit-il. Une excellente matinée, par la grâce de Dieu. Par ces temps de sécheresse, le repas n'a pas été mauvais. Tanga, ce fils béni de Dieu, veille sur moi. J'ai mangé à ma faim et les mendiants m'ont fait des bénédictions pour les restes.

— Dieu donne, renchérit le visiteur. Son rôle est de donner. Il corrige toujours les méfaits qu'il nous envoie. En vérité, il est miséricordieux.

Le visiteur a un paquet sous le bras ; et une odeur de viande emplit le vestibule.

— La commission dont on est chargé vous est supérieure. C'est elle qui commande. Un émissaire est un esclave qui ne recouvre sa liberté qu'après avoir livré son message.

— C'est la vérité ! approuve le Vieux Soriba. Les anciens nous ont légué des pensées profondes, vérifiées par l'expérience : le commissionnaire est un esclave qui doit livrer un message et aussi en rendre compte. Esclave, il l'est, deux fois !

Le visiteur ouvre une noix de cola et en offre la moitié au Vieux Soriba.

— Le messager doit toujours donner ou recevoir la moitié d'une noix de cola, dit-il. Il doit la mâcher longuement pour mettre de l'ordre dans ses pensées, car rien n'arrange plus la parole gâtée.

— Tu dis vrai ! s'exclame le Vieux Soriba. Les anciens disaient : « Parole, qu'est-ce qui te rend belle ? La façon de me dire. Parole, qu'est-ce qui te rend laide ? La façon de me dire. »

— Et la demi-noix de cola a un pouvoir magique sur la parole. C'est un garde-fou dont il faut s'assurer pour ne pas aller par le chemin et revenir en empruntant les broussailles.

Toutes ces formules de politesse commencent à agacer le Vieux Soriba. Il veut que le visiteur qui tient un paquet sous le bras raccourcisse la parole. Mais l'homme continue de parler inlassablement, comme s'il avait dans le ventre un sac de paroles qu'un génie malicieux avait fait éclater pour le punir, lui, Soriba. Et de quel mal ?

Hargneux, rageur, il ferme les yeux, simulant un rappel de sommeil.

— C'est Namori qui m'envoie, dit enfin le messager. Namori, ton ami, ton frère de case, ton plus-que-frère.

Le Vieux Soriba se redresse, l'oreille aux aguets, les yeux écarquillés.

— Dans ce paquet il y a deux foies de génisse. Il voudrait que tes femmes les fassent griller sur un feu de bois avec un rien de sel et sans piment. Il viendra dîner avec toi ce soir, parce qu'il veut t'entretenir de choses sérieuses.

La précision « avec un rien de sel et sans piment » pique le Vieux Soriba au vif. Sa première réaction est de congédier le messager en lui jetant le paquet à la face. Mais il se rappelle les conseils de Nogobri et s'étend sur son tara

88

pour calmer cette oppression qui le tient à l'estomac.

— C'était la première partie de mon message, reprend lo visiteur. Je suis à moitié libre et le serai complètement lorsque tu m'auras donne ta réponse.

— Dis à Namori, mumure le Vieux Soriba, qu'on ne peut rien refuser à un frère de case et qu'un sacrifice — puisque c'en est un — n'est jamais perdu. Je mangerai donc ce sacrifice avec lui ce soir, même si je dois en mourir.

— Ma bouche lui parlera pour toi, promet cet homme qu'il n'avait jamais vu à Kouta et qui égrène de longues formules de politesse, en prenant congé.

Le Vieux Soriba coupe court aux interminables salutations. Il appelle Bintou qui vient, les yeux pétillants de malice comme savent le faire les jeunes femmes abordant un mari au seuil de la vieillesse.

— Un étranger charmant s'est invité à ripailler ce soir. Tu es assez intelligente pour deviner qui c'est.

Il lui désigne le paquet contenant les foies de génisse et ferme les yeux pour ne pas voir la jeune femme s'en aller de cette démarche ondulante qui lui chauffe le cœur.

*

Bintou entre dans le vestibule et pose un plat d'où monte une odeur de foie grillé avec de l'oignon et des herbes aromatiques. Ensuite, elle apporte de l'eau dans un seau et s'immobilise. D'un geste brusque, le Vieux Soriba la congédie. Il découvre le plat, tend le seau d'eau où Namori se lave les mains longuement, un sourire accroché aux lèvres.

— Al hamdou lillahi ! dit le Vieux Soriba.

— Al hamdou lillahi ! reprend Namori.

Les deux hommes mangent, en se regardant à la dérobée. Le Vieux Soriba refuse de faire les frais de la conversation et Namori se condamne au silence. Le Vieux Soriba n'a pas faim. Après avoir pris trois morceaux de viande, il s'arrête de manger tandis que Namori l'observe avec un sourire narquois.

— Al hamdou lillahi ! dit le Vieux Soriba en se lavant les mains. Un bon musulman doit se contenter de ce que Dieu lui a donné et ne jamais convoiter le bien d'autrui.

Et voilà qu'il fredonne :

« Ce que Dieu te donne,

En bien ou en mal,

Contente-toi du don de Dieu ! »

Namori lève la tête, s'empare d'un gros morceau de viande et le fourre dans sa bouche. Le Vieux Soriba bout intérieurement contre ce faux frère de case qui, deux soirs de suite, vient manger chez lui, troublant ses habitudes en ces temps de sécheresse. Namori n'arrête pas de manger comme pour narguer le Vieux Soriba. Il a même le toupet d'appeler Bintou et de lui demander un gobelet d'eau. Et tandis qu'il boit, celle-ci se tient immobile, attendant qu'on lui donne un ordre ou qu'on la congédie. Et quand, sur un signe du Vieux Soriba, elle s'éloigne, Namori la rappelle et lui demande d'apporter le seau d'eau. Il se lave les mains dans le récipient tenu par Bintou.

« Pauvre de moi ! soupire le Vieux Soriba, tout est consommé ! Qu'on me demande de divorcer et j'accepte sans sourciller. Quand ta pirogue a chaviré, peu importe que tu puises de l'eau pour la remplir toi-même puisqu'elle a chaviré. »

Namori couvre Bintou de compliments. Il dit qu'elle a préparé ce foie en grande cuisinière, comme seules les femmes de Conakry savent le faire, avec un mélange de vinaigre et d'ail additionné d'un rien d'huile. Et il ajoute que le sel était juste ce qu'il fallait.

« Pauvre de moi ! soupire le Vieux Soriba. C'est consommé, complètement ! Comme du miel, jusqu'au dépôt ! Et si je mourais, Namori ne pourrait pas entrer dans ma case mortuaire parce qu'il aura pris ma femme. S'il se penchait sur mon cadavre, les pires maléfices s'acharneraient sur lui. Et c'est pourquoi il vient demander que je divorce ou avouer son crime. »

Le Vieux Soriba, à ce moment précis, en appelle à une mort subite, en souhaitant que par oubli Namori vienne se pencher sur son corps et que tous les sortilèges se liguent contre lui, pour avoir violé un interdit de façon irréparable.

Et quand Bintou se retire avec un billet de cinq mille francs :

— J'ai à te parler, dit Namori.

— Je le sais ! riposte le Vieux Soriba.

— Dans quelques jours, les Koutanké ne mangeront plus de viande. Les bœufs, les moutons et les chèvres se font rares, décimés par la sécheresse.

— En quoi cela me concerne-t-il ? nargue le Vieux Soriba. Je ne suis pas boucher. « Le récipient qui contient le savon est troué », dit-on au chien. Il répond : « Je n'ai que faire du savon, à plus forte raison de son contenant. »

— Tu as des ânes, sourit Namori.

— Cela, tout le monde le sait.

— Il nous faut nourrir la population ! dit le boucher avec détermination, comme s'il criait un slogan politique.

— Parle plus clairement, supplie le Vieux Soriba.

— En abattant tes ânes ! dit Namori sur un ton ferme, le regard planté dans les yeux de son interlocuteur.

De frayeur, le Vieux Soriba se prend la tête dans les mains, les yeux grands ouverts.

— Bissimilaï ! crie-t-il, se demandant si Namori n'est pas devenu subitement fou.

— Le Coran interdit la chair humaine, explique le boucher, la viande des animaux non égorgés et celle du porc. L'âne ne fait pas partie des interdictions prescrites.

— Astafurulaye ! dit le Vieux Soriba. Demande-moi plutôt Bintou, je te l'accorderai sans sourciller mais avec beaucoup de peine, pour

92

dire vrai. Tu sais que j'affectionne les ânes comme le Père Kadri les arbres ; comme le lieutenant Siriman, ce saint qui repose dans la mosquée, aimait les pintades. Le lien entre l'âne et l'homme... dans les hadiths, c'est-à-dire les usages du Prophète, il est écrit...

Namori fait mine de se lever pour prendre congé, en rassemblant son boubou.

— Je te donne mon salut, dit-il. Je savais que nous ne nous entendrions pas.

Puis, il menace, le regard durci, le ton haut :

— Je considère ce refus comme une injure grave. Et tu n'ignores pas que j'ai vécu douze ans dans des pays où la parole de Dieu et les usages de son Prophète son inconnus comme une femme mariée à deux hommes à la fois.

Le Vieux Soriba se souvient des conseils de Nogobri et l'aveu que Namori vient de faire, confirme que ce frère de case n'a posé qu'un pied sur la peau de prière. Maintenant il est convaincu que Namori a été coupeur de routes, brigand des grands chemins, membre d'une association de grands féticheurs et qu'il est capable de tous les crimes qu'une mauvaise langue, une vieille femme sans enfant et abandonnée par son mari, peut inventer.

Quand Kompè, avant de s'assagir, avait levé un pan du voile qui couvrait le passé de Namori, le Vieux Soriba fut le premier à taxer le coiffeur et ses amis de calomnie, volant au secours d'un frère de case qui, aujourd'hui, lui prend ses ânes tout en ayant sa jeune femme à portée de la main.

Namori se lève et chausse ses babouches.

— Discutons au moins du prix, concède le Vieux Soriba.

— Pour chaque âne abattu, tu auras le quart de la recette.

— Ce marché m'est défavorable, se plaint le Vieux Soriba. Je ne peux accepter ce taux !

— Les risques ? c'est pour qui, les risques ? ricane Namori.

— En ce cas, souffle le Vieux Soriba résigné.

Namori lui tend une demi-noix de cola comme pour conclure un marché. Il la refuse avec dégoût.

— Nous ne sommes pas de la même religion, dit-il.

Namori part d'un ricanement satanique. Le Vieux Soriba le regarde, ahuri. Il se dit qu'il n'a jamais vraiment connu Namori et s'étonne d'avoir été coupé avec le même couteau que celui-ci. Cependant une brusque inquiétude le saisit à la gorge et il suffoque.

— Devrais-je manger de la viande d'âne comme les autres ? demande-t-il.

— Bien sûr que non ! le rassure le boucher. Tous les jours, je tuerai un mouton pour toi et moi.

— Mais les autres ? dit le Vieux Soriba.

— Les autres ? quels autres ? interroge Namori agacé.

— Daouda et Solo, s'effraie le Vieux Soriba.

— Ils mangeront de l'âne. Et comme ils n'en sauront rien, pourquoi t'inquiètes-tu ?

Élevé dans la plus stricte tradition islamique, le Vieux Soriba se préoccupe de l'Imam qui non seulement est le guide de la prière mais encore fut son maître au foyer ardent.

— L'Imam ! dit le Vieux Soriba, un sanglot dans la voix.

— L'Imam n'est pas le Prophète ! lance Namori. Et le Prophète a permis aux croyants de manger du porc s'ils n'ont rien d'autre pour assouvir leur faim. Actuellement, c'est la situation qui prévaut à Kouta : les animaux sont décimés par la sécheresse. Dois-je laisser les Koutanké mourir de faim ? Non, il y va de mon honneur de boucher. Les Chinois ont bien raison ! Ils mangent tout ce qui a quatre pattes, sauf la table ; et tout ce qui a deux pattes, sauf l'homme. Et c'est pourquoi en Chine il n'y a jamais de famine. Et voilà pourquoi le Prophète a dit : « Allez chercher le savoir jusqu'en Chine. »

Il s'arrête de parler, ouvre une noix de cola, en offre la moitié au Vieux Soriba qui la refuse obstinément, en secouant la tête comme s'il lui était désormais interdit de parler à un cafre* du calibre de Namori.

— Malgré toutes tes explications, j'ai encore dans le cœur une inquiétude grosse comme le poing, murmure le Vieux Soriba.

* *Mécréant.*

— Parle franchement, dit Namori avec assurance. J'ai tout prévu. Parle que je te libère de toute angoisse.

— Bilal, l'égorgeur, est-il informé ?

— Il se partagera les entrailles du mouton avec Sogoba, mon employé.

— Les têtes, les pattes ?...

— Ma femme les fera cuire la nuit. A midi, elle apportera cette manne à la mosquée pour les pauvres. Tous les nécessiteux de Kouta auront au moins un repas offert par Namori. Alors je changerai de sobriquet : au lieu de « cœur-sec-comme-gésier-de-coq », on m'appellera « le boucher-au-grand-cœur ».

Maintenant, le Vieux Soriba est parfaitement convaincu que Namori est un négateur de Dieu, un cafre et que seul un génie malfaisant, un cafre de génie — puisque tous les génies ne sont pas zélateurs de Dieu — a pu doter cet homme qui fut son frère de case de ce sang, froid comme celui d'un serpent et de cette précision dans la supercherie.

— Allahou akbar ! dit-il, résigné.

VII

A Kouta, on se met à louer Namori qui, en pleine sécheresse, offre sur le marché tant de viande que les autres villages y accourent pour se ravitailler. Et comme pour parfaire son œuvre, le boucher a baissé les prix ; il consent des prêts et réclame son dû sans jamais insister. Les débiteurs, pris de remords ou de honte, viennent le voir dans la nuit pour s'acquitter de leurs dettes ou demander un délai. Et toujours Namori accepte.

Tous les midis, l'Imam est là, devant la mosquée et il regarde, ému, les nécessiteux qui mangent de la viande avec ce que l'assistance étrangère a offert : une farine de sorgho rouge.

Dans tout Kouta, il n'y en a plus que pour Namori, « le boucher-au-grand-cœur ». On le chante, comme autrefois, quand il triomphait du supplice que lui infligeait le commandant Bertin. Des veuves lui adressent une demande en mariage par l'intermédiaire de Solo qui exige un modeste cadeau ou un moment de tendresse. Certaines excluent même le partage des nuits avec son étrangère de femme qui apporte tous les midis à la mosquée de grands plats fumants. Elles veulent seulement prier au nom de Namori pour gagner leur part de paradis. Et toujours celui-ci décline leur offre et les couvre de bienfaits. Le Vieux Soriba commence à se demander si en matière de bonté le diable n'est pas plus généreux que le Bon Dieu. Dans chacun de ses sermons, l'Imam cite Namori en exemple, appuyant ses compliments de versets pris au Livre Saint. Le boucher se recroqueville sur lui-même, comme pour se soustraire aux regards, gêné par tant d'éloges. Le Vieux Soriba peste intérieurement, se disant que Namori est en train de gagner le paradis en abattant ses ânes.

A la surprise générale, Daouda consent un rabais sur le grain — seulement sur le grain — pour soutenir l'action de son frère de case. Bakary, son redoutable concurrent, l'imite, suivi en cela par tous les autres vendeurs de céréales.

Dans toute la République de Darako, les griots se mettent à chanter qu'en dépit de la sécheresse il fait bon vivre à Kouta. Les autorités elles-mêmes invitent les nantis à suivre l'exemple des commerçants de Kouta pour limiter les méfaits de la sécheresse sur les masses laborieuses.

Par les trains et les charrettes, les éclopés et les aveugles affluent vers cette bourgade en chantant :

« S'asseoir à l'ombre de la mosquée de Kouta,

C'est s'assurer au moins un repas par jour ;

Louange à Dieu, le Très-Haut ! »

Et même Kompè, qui autrefois avait fait courir le bruit que Namori était un ancien brigand, affirme que maintes fois, il a vu en rêve le soutien des veuves et des pauvres monter au ciel, comme lui-même, autrefois, sur un cheval aux ailes d'air et de feu, escorté par des anges choisis parmi les meilleurs.

« Bon Dieu de Bon Dieu ! jure le Père Kadri, si je ne m'associe pas à tout cela, pour sûr ! l'Imam va me prendre quelques-unes de mes ouailles. »

Un dimanche, au cours du prêche, il invite les chrétiens à baisser les prix des légumes qui poussent dans leurs jardins. Et chaque fois qu'il rencontre le boucher, il lui serre la main chaleureusement ; et au cours de leur conversation, il lui cite quelques paroles du Christ.

*

Souvent Namori disparaît pendant trois jours, pour aller on ne sait où, acheter des animaux. A son retour, il promet que les Koutanké ne connaîtront jamais de pénurie. Et il ajoute comme pour les rassurer : « Le colporteur véloce a un avantage certain sur le marchand qui porte de lourdes charges ; car le commerce, c'est avant tout et surtout la rapidité dans les déplacements et la conclusion des affaires. Eh bien, j'ai négocié et les bêtes viendront poussées par des courtiers. » Aux questions, il répond que la moitié de la réussite d'un commerçant réside dans sa capacité de discrétion, qu'il ne doit rien révéler de peur que d'autres bouchers ne s'accrochent à ses pas.

Seul Solo se pose des questions. Souvent, après avoir discuté avec Namori, il lance une sentence dans le genre de celle-ci : « Toutes les nuits appartiennent au voleur, excepté celle où il est pris, coincé entre les quatre murs d'une terrasse. » Puis, il s'en va, se disant : « C'est la fête à Kouta. Non, je ne troublerai pas cette fête. Mais si je peux en profiter encore davantage... »

*

Doussouba s'affaire dans sa gargote autour d'un énorme chaudron qui bouillonne. Elle fredonne la chanson des mendiants, le titre d'honneur de Kouta :

« S'asseoir à l'ombre de la mosquée de Kouta,

C'est s'assurer au moins un repas par jour ;
Louange à Dieu, le Très-Haut ! »

Doussouba Camara est tentée de remplacer la dernière phrase par « Louange à Namori, le Très-Haut ». En effet, elle se souvient qu'autrefois, il lui avait fait la cour, accompagné de ses « flanton », ses frères de case : Daouda, Solo et Soriba avec un chœur de musiciens. Et comme toutes les jeunes filles de son groupe avaient montré la route à Namori, sous le prétexte qu'il sentait la viande faisandée, Doussouba qui ne le détestait pas fit de même. Elle ne pouvait quand même pas donner des espoirs à un fils de boucher. Comme toutes les autres jeunes filles de Kouta, Doussouba Camara, la plus belle de sa société d'âge, avait éconduit Namori et sa puanteur de viande faisandée. Mieux, elle avait pris

100

une certaine distance avec tous ses flanton, à l'exception de Solo, cet aveugle qui savait si bien tourner un compliment pour chauffer un cœur féminin.

Aujourd'hui, Doussouba se réjouit d'avoir été courtisée par Namori quand son miroir lui parlait positivement et que ses seins étaient aussi durs que des mangues vertes. Courtisée, Doussouba l'a été par Namori, le protecteur des veuves et des mendiants.

Doussouba Camara chante comme pour bercer toutes les misères qu'elle a affrontées, car la femme, ce n'est que reins et seins. Son soleil tomba en même temps que ses seins s'affaissaient et que se ramollissaient ses reins : son mari l'abandonna pour une autre femme qui aurait pu être sa fille.

Elle jette un regard sur tous ces voyageurs pour Darako qu'il faut souvent prendre par le col de leur turuti afin qu'ils s'acquittent de leurs dettes. Doussouba considère avec commisération tous ces tapeurs qui abusent de sa grande âme de gargotière...

La vie n'avait pas épargné Doussouba Camara, et la maternité n'était pas venue à son secours. Seule comme un visage dans une main, elle fredonne la chanson des mendiants en souvenir du temps où Namori Coulibaly lui faisait la cour au son des guitares tétracordes, accompagnées des jolis compliments que Solo trouvait au hasard de son inspiration. Et voilà que Namori, son soupirant d'autrefois, radieux

101

comme le soleil d'après la pluie, éblouit Kouta. Et pourtant, Namori aurait été un beau parti. Son père, le Vieux Bakary Coulibaly, n'était-il pas un homme à qui Dieu — il a toujours raison — n'avait accordé qu'un fils et comme pour le dédommager, une fortune dont on parlait, le soir à la veillée ?

Doussouba, la gargotière-du-quai-de la gare, la divorcée qui se donne moyennant un petit cadeau ou gratuitement à un homme de son choix, chante pour consoler toutes ses misères de femme abandonnée.

Et pourtant, de retour à Kouta, Namori l'avait relancée, discrètement, en prenant des précautions comme l'on allume une torche pour rentrer dans sa propre case après une longue absence et par une nuit sans lune. A Solo qui avait servi d'intermédiaire, elle répondit que désormais sa gargote était son unique souci. Il est vrai aussi qu'abandonnée par son mari, Doussouba aurait accepté d'être la première femme de Namori. Mais celui-ci était revenu avec une autre...

*

Le grand chaudron fume, dégageant une odeur d'aromates et d'ail tandis que Doussouba coupe de la viande. Mais soudain son regard se fige. Elle ouvre de grands yeux comme pour mieux voir : un morceau de peau avec des poils trop fournis. Et comme les voyageurs la

102

pressent, elle attache sa trouvaille dans un pli de son mouchoir et met la viande à cuire à feu vif.

Depuis quelques mois, Doussouba avait remarqué qu'il fallait cuire la viande longtemps, d'où ses fréquentes disputes avec le marchand de bois qu'elle accusait de ne lui livrer que des brindilles trop vite consumées.

Assise dans un coin de sa gargote, Doussouba fredonne la chanson des mendiants, le titre d'honneur de Kouta, pour saluer ce jour béni qui, peut-être, lui promet un second soleil : ce morceau de peau ne saurait être ni d'un bœuf, ni d'un mouton, ni d'une chèvre. Et c'est peut-être du bonheur pour Doussouba Camara qui, maintenant, fredonne une vieille ballade :

« Le bonheur !...

O ! ma mère...

Le bonheur triomphe chez moi ! »

Les voyageurs qu'elle vient de servir et qui tirent sur les morceaux de viande comme des molosses la regardent, émus.

— Une femme seule est toujours une femme qui appelle un homme, dit quelqu'un.

*

— Je dis bonjour à ceux d'ici, salue Doussouba.

— Marhabani ! répond Solo du fond de sa case.

Son amie d'enfance franchit le seuil, prend le gobelet et puise dans la jarre pour étancher sa soif. Puis Solo l'invite à s'asseoir à côté de lui, sur le tara.

— Viens que je fasse tinter tes perles, plaisante-t-il. Le bruit des perles autour des reins d'une femme, c'est aussi envoûtant que celui d'un chapelet que l'on égrène. Et c'est probablement pourquoi l'Imam n'arrête pas de se livrer à ce jeu. Le tintement des perles s'adresse au corps et celui du chapelet à l'esprit. On s'envoûte comme on peut. Mais pour dire vrai, moi-même Solo Konté...

— Tu es marié, sourit Doussouba.

— Une seule femme qu'il m'a donnée, le Bon Dieu ! se plaint Solo. Je suis un marié sec, un marié serré. Allah m'a attribué la portion du pauvre, du mal aimé dans le partage des femmes. Et puis il m'a privé de la vue comme pour me dire : « Débrouille-toi avec ton imagination pour saisir le beau. » Et je la découvre, la beauté. Moi-même, Solo Konté, rien qu'à toucher une femme, eh bien, je puis dire si elle est capable de troubler la méditation de l'Imam. Sais-tu qu'il ne peut plus ? Qu'il n'en a plus ? Et c'est pourquoi il met tant d'ardeur à pousser les autres vers le bien. Il égrène son chapelet comme nous autres aimons compter les perles que les femmes portent autour des reins.

— Nous avons passé l'âge, soupire Doussouba.

— Euh ! Euh ! ricane Solo, demi-vérité pour moi. Mais gros mensonge, calomnie ! pour toi. La femme ? toujours une chose nouvelle, comme la vie, comme la mort. La femme ? plus forte que la mort.

Il tâte sa croupe et ses seins, fébrilement. Et Doussouba prend plaisir à ce jeu auquel hommes et femmes de la même classe d'âge peuvent s'adonner, même en public, sans choquer personne.

— Tu nous en as fait voir autrefois, rappelle Solo. En vérité, nous t'aimions. Je parle au nom du groupe. Ce n'est pas Solo qui parle. Quand on appelle les Peulhs, Yoro doit se taire ; car de Hamidou, le premier-né de la famille, jusqu'à Yoro, il y a encore trois frères aînés : Demba, Samba et Pathé. Solo avait dans le groupe la place que tient Yoro chez les Peulhs. A ton seul nom, Namori souriait tandis que Soriba proférait des paroles entrecoupées et sans suite. Et quant à Daouda...

Il continue de la tapoter. Doussouba s'abandonne à ce jeu qui lui rappelle qu'elle fut jeune et belle. Et Solo ricane :

— Euh ! Euh ! Il te reste encore largement de quoi satisfaire un homme. Tu peux tenir un jeune homme éveillé, toute une nuit.

Il lui offre une grosse noix de cola pour délier sa langue, car il sait que Doussouba ne vient pas, comme ces pique-assiette, partager son repas ; qu'elle n'a que faire de la moitié d'un plat.

— Je suis venue te montrer quelque chose de bien curieux.

— Tu m'insultes, et doublement, s'amuse

105

Solo. J'ai cru que tu venais offrir un peu de tendresse à un ami d'enfance. Et tu sais que Dieu — il a ses raisons même s'il n'a pas toujours raison — m'a privé de la vue parce que je voyais plus loin que tous les autres.

— C'est leur chance, sourit Doussouba.

— En vérité, c'est leur chance à tous ces hypocrites, ces égoïstes et que sais-je encore.

Il se drape dans son boubou et lève les yeux au ciel :

— Décris cette chose, soigneusement, et sans omettre aucun détail.

— Un morceau de peau que j'ai prélevé sur la viande achetée à l'étal de Namori. Avec des poils noirs et hérissés...

— Comme s'il provenait de l'échine d'un âne, ajoute Solo.

— C'est exactement ce que j'ai pensé, confirme Doussouba.

— Ferme la porte ! crie Solo. Ferme la porte !

— Les gens pourraient penser de vilaines choses, s'inquiète Doussouba.

— C'est précisément ce que je veux qu'ils pensent, réplique le vieil aveugle sur un ton ferme. C'est Dieu lui-même qui vient de t'initier pour t'introduire dans la société des grands féticheurs. Et sous sa protection, je suivrai tes pas.

Doussouba regagne sa gargote deux heures plus tard, en passant par la mosquée, le Pont Dotori, le hangar maudit et la place du marché. Et tous les regards...

Seul le Vieux Soriba dit crûment ce que tout le monde pense : « Kotèba ! Ils ont joué au kotèba, et en plein jour. »

Quelques instants après, Solo paraît au marché, vêtu de ses plus beaux habits, rasé et parfumé, avec un sourire triomphant comme pour accréditer la rumeur publique.

— Il l'a poussée, dit le Vieux Soriba. C'est manière de mécréant que de pousser une femme à l'heure où les musulmans font leurs ablutions pour la prière. Cet aveugle de Solo, quand même… Pousser une femme quand le muezzin crie la prière ?

Se tournant vers Daouda, il se passe la langue sur les lèvres, la tête dans les mains.

— Toi que l'Imam tient en haute estime, tu devrais lui dire que Solo a fait ça, à Doussouba, au moment où le muezzin criait la prière.

— Je le lui dirai, sourit Daouda, à la seule condition que tu refasses tes ablutions avant de te rendre à la mosquée.

— Pourquoi ? vocifère le Vieux Soriba.

— Dans ton état, tu souillerais les lieux.

Solo s'en va d'une boutique à l'autre, faisant des moulinets de sa canne, avec ce sourire que le Vieux Soriba considère comme une injure, sinon une provocation. Narquois, il répond aux salutations à haute voix :

— Marhaba ! et avec emphase Marhabou ! Marhaboussè !

— Un aveugle pousser une femme ? s'indigne le Vieux Soriba. Pour dire vrai, le chien

107

n'est pas un animal aquatique. Mais si Dieu lui donne un poisson, eh bien, il l'attrape. Solo !... Un adepte de Seytane ! Pousser une femme quand les autres ont fait leurs ablutions ? Et se pavaner en plein marché comme le bouc ameute le voisinage avant de saillir la chèvre en claironnant : « Venez voir comme je peux beaucoup et longtemps. » Cet aveugle de Solo, quand même... Quel manque de modestie et quelle impudence ! Et plus il est vieux, et plus le bouc claironne sa virilité pour s'en convaincre. Et le voilà qui nous nargue. Daouda, toi que l'Imam tient en grande affection, il faut que tu le lui dises. Il le faut ! M'entends-tu ? Dis-lui que Solo...

— Je t'offre de quoi acheter deux kilos de silure à la seule condition que tu refasses tes ablutions.

— Mais certainement ! se réjouit le Vieux Soriba. J'aime dans le désordre et selon mes états d'âme le poisson, les ânes et les femmes. Cependant, je ne trouve — tout comme le Prophète — la félicité que dans la prière.

— Que son nom soit vénéré ! dit Daouda.

— La bénédiction éternelle sur lui ! ajoute le Vieux Soriba. Toujours ! Toujours ! Jusqu'à la fin des temps. Mais que Seytane confectionne pour Solo, son complice, une tunique hérissée d'épines et qu'il monte au ciel... à la gauche de Dieu.

— J'annule ma proposition ! s'indigne Daouda.

108

— La langue ne contient pas d'os. On peut la tourner et retourner, sourit le Vieux Soriba. Eh bien, que Dieu accorde à Solo la rédemption de son péché.

— Trois kilos de silure pour toi, dit Daouda.

— J'aime le poisson, s'émerveille le Vieux Soriba, le poisson, les ânes et les femmes. Mais je ne découvre la vraie sérénité que dans la pensée de Dieu.

Il hèle Django, le fils de Daouda et lui demande une bouilloire pleine d'eau. Puis il se dirige vers les latrines contiguës à sa boutique en pestant : « Se faire pousser par un aveugle alors que... Doussouba est tombée bien bas dans mon estime. Et quand je pense que j'étais amoureux d'elle du temps de ma jeunesse. Éperdument amoureux ! »

— Marhaba ! Marhabou ! Marhabani !

C'est toujours Solo qui se pavane, paré de ses plus beaux habits, rasé et parfumé :

— Marhabani !

Et il sourit largement à tous ceux qui demandent des nouvelles de sa santé. Aux uns, il offre une noix de cola ; aux autres, il ouvre sa tabatière.

— Marhaba ! Marhabou ! Marhabani !

Après avoir fait le tour du marché, il passe le Pont Dimbourd et se dirige vers la gare, d'un pas alerte, comme s'il n'avait plus besoin de sa canne.

— Que les rhumatismes les plus aigus s'acharnent sur Solo et le transforment en vieillard grabataire et tordu ! fulmine le Vieux Soriba.

— Je ne te donnerai pas les trois kilos de silure que je t'ai promis, dit Daouda qui l'a suivi pour s'assurer du soin qu'il apporterait à ses ablutions.

— Les silures ! aboie le Vieux Soriba. Que m'importe des silures quand on me vole et mes souvenirs de jeunesse et mon soleil d'aujourd'hui ? En plus de sa cécité, que Solo soit frappé de paralysie et que Namori, cet autre voleur, accablé des mêmes infirmités, lui tienne compagnie.

— Un mouton ! promet Daouda. Je t'offre un mouton si tu retires ce que tu as dit.

Mais déjà le Vieux Soriba s'en va vers la mosquée, proférant, sous le regard étonné des marchandes et des tailleurs, des paroles incohérentes dans lesquelles reviennent les mots jeunesse, soleil, vol, infirmité...

— Fou à lier ! se moque Daouda. Voilà Soriba fou à lier, et d'une femme toute décatie ! Des femmes, du poisson et des ânes, c'est bien les femmes que Soriba préfère.

— Marhaba ! Marhabou ! Marhabani !

C'est Solo, non loin de la gargote de Doussouba, qui répond aux nombreuses salutations, avec ce sourire qui a tant fait souffrir le Vieux Soriba, son frère de case, son plus-que-frère.

*

110

Solo médite toute la nuit, assailli par des idées contradictoires qui se bousculent et qu'il ne peut mettre en ordre : pourquoi Namori et le Vieux Soriba l'ont-ils exclu de cette combine ? Est-ce par appât du gain ou parce qu'ils n'ont pas confiance en lui ? Dans les deux cas, il se sent trahi. Ils le savent aveugle, disqualifié par Dieu lui-même, ne vivant que de miettes. Mais alors pourquoi l'ont-ils tenu en dehors d'une machination où il avait gros à gagner ? Ils savent pourtant que les frères de case, liés par le sang du prépuce, ne se trahissent jamais. Et si Namori et le Vieux Soriba n'ont plus confiance en lui, quel bel exemple, quelles armes donnent-ils à la jeunesse qui veut tout fouler aux pieds...

Il essaie de se convaincre qu'il leur en veut plus pour leur manque de confiance qu'à cause de son exclusion d'un coup où il avait tant à gagner. Mais il s'effraie tout aussitôt, assailli par une autre idée : « Daouda !... Daouda est-il de cette combine ? » Si tel est le cas, alors ils l'auront bel et bien exclu, lui, Solo, l'aveugle qui vit de subsides. Il se ravise et écarte cette idée : « Si Daouda était de cette supercherie, elle aurait déjà été éventée. Trop scrupuleux, Daouda. Et avec ça, sensible à l'appel du bien. C'est pourquoi l'Imam le tient en si haute estime. Et puisque cette trahison a été ourdie par Namori et le Vieux Soriba, pourquoi ne pas se lier à Doussouba Camara et combattre deux d'un côté, et deux de l'autre, quitte à casser notre fraternité de case ? Et ce sont eux qui endosseront la responsabilité de la rupture. »

Mais une autre idée surgit et tempère sa colère : « Namori, au jour d'aujourd'hui, est la fierté de notre société d'âge. Jeter sa face dans la poussière, c'est faire honte à tout le groupe. Et puis humilier une notabilité au grand jour, c'est se créer des ennemis. »

Il se calme enfin et ricane : « J'ai tout à gagner dans cette affaire. Et puis, les risques, c'est pour eux. »

∗

Namori trouve Solo qui a devancé les ménagères à son étal. Après les salutations d'usage et le partage traditionnel de la noix de cola :

— Je suis venu avant les femmes, parce que je voudrais des pieds de bœuf. Apprêtés par une cuisinière qui les fait mijoter toute une nuit, les pieds de bœuf c'est mon régal. Le goût m'en est revenu ces jours-ci. Des pieds de bœuf ? Il n'y en a plus depuis trois mois à ton étal.

Namori se maîtrise parfaitement et prend un temps pour donner de l'assurance à sa voix.

— Tu sais bien, Solo, que je les offre aux pauvres.

— Et j'en suis un, sourit celui-ci.

— Eh bien, soit ! Demain, reviens à la même heure. Ils seront là, tes pieds de bœuf.

— Non grattés ! précise Solo. Avec tout le poil. Ma femme s'acquittera elle-même de cette tâche : les gratter légèrement, pour conserver toute la peau, ne rien perdre d'utile.

112

— J'ai bien entendu, maugrée Namori.

Il prend un temps et puis poursuit :

— Était-ce là la raison d'une visite si matinale ?

— Oui et non, fait Solo débaiment.

— Je t'écoute, s'impatiente Namori.

— Tu n'as pas d'ordre à me donner ! menace Solo. Souviens-toi. Je t'ai dit bien des fois : « Toutes les nuits appartiennent au voleur, excepté celle où il est coincé entre les quatre murs d'une terrasse. »

— Tu as coutume d'abreuver tout le village de sentences dictées par la jalousie ! lance Namori excédé.

— Jalousie ? Oh, que non ! ricane Solo. Doussouba Camara détient un morceau de peau... Je l'ai arrêtée juste à temps, sur le Pont Dotori, pendant qu'elle se dirigeait vers le bureau du commandant Karim Cissé. Jalousie ? Euh ! Euh ! Oh, que non ! Solo ? Un homme fidèle à la fraternité de case ; Solo... quelqu'un qui trahirait la parole de Dieu et les usages de son Prophète pour voler au secours d'un frère de case en grand danger.

Il s'arrête de parler, ouvre une noix de cola et en offre la moitié à Namori qui accepte.

— On peut négocier, dit-il.

— Bien sûr qu'on peut négocier, reprend Namori. Et tu ne me trahiras pas ?

— Et pourquoi te trahirais-je ? J'ai tout à gagner. Mais dis-moi : Daouda est-il au courant ?

— Bien sûr que non ! ponctue Namori.

— Il faut le tenir en dehors de cette affaire. M'entends-tu, Namori ? Daouda ? Trop sensible aux sermons de l'Imam. Daouda ? Quelquefois imprévisible. Il ne faut jamais qu'il sache ! Et c'est mieux ainsi. Nous partagerons la recette en quatre parts égales, sans oublier que le cœur de Doussouba n'a jamais cessé de battre pour toi...

Il se met à rire, en secouant sa canne, comme s'il se réjouissait d'une bonne nouvelle :

— Formalité ! l'Imam attachera le mariage. Le maire et deux témoins ? Formalité ! Une dot de trois fois rien du tout pour le père de Doussouba, puisqu'elle a déjà été mariée. Le Vieux Magandian Camara s'en contentera. Ne dit-il pas à qui veut l'entendre que sa fille n'a jamais rien valu ? De grands tam-tams et quelques largesses... Formalité ! Ensuite nous continuerons d'abattre les ânes du Vieux Soriba pour nourrir la population et nous enrichir.

— Tu sèmes avant d'avoir débroussaillé, fait remarquer Namori.

Et Solo ricane de plus belle, la canne haute.

— Euh ! Euh ! Le mil viendra si bien qu'on le confondra avec l'herbe.

Namori fait mine de pleurer en se mordant le poing. Solo qui ricane, plié en deux, lui tend sa canne.

— Mesure les conséquences de ton geste, avant de frapper, prévient-il. Doussouba a décidé qu'elle sera ta femme parce que tu as

114

juré, publiquement, par vantardise ou excès de confiance en toi, que tu resterais monogame. Et elle te tient, comme autrefois tu saisissais tes débiteurs par les couillles.

— Hier, se lamente Namori, tout le monde l'a vue sortir de ta case après deux heures…

— D'entretien ! coupe Solo. Deux heures d'entretien pour mettre au point une crapulerie qui happe les bénéfices d'une autre. J'attends ta réponse ou plus exactement ce qu'il faut pour couvrir les frais d'un mariage somptueux.

Namori voit Sogoba arriver avec la charrette à viande. Déjà les ménagères accourent à son étal en bandes joyeuses. Les commerçants ouvrent les portes de leurs boutiques. Çà et là caquettent les machines à coudre. Le vétérinaire appose, machinalement, un sceau sur chaque bête abattue.

— Viens, cette nuit, chez moi après le repas, avec le Vieux Soriba, dit Namori sur un ton de confidence.

— Avant le repas, réplique Solo. Maintenant que je sais, manger de la viande d'âne…

— Soit ! coupe Namori.

— Je prendrai Daouda au passage. Il faut bien qu'il change de goût, au moins un soir.

— Soit ! concède Namori en le congédiant.

*

Après le repas et les trois verres traditionnels de thé à la menthe, Namori informe ses amis d'enfance de son intention d'épouser Doussouba Camara. Il dit lui vouer une passion contre laquelle il n'a jamais su se défendre. Il s'excuse auprès de Daouda et du Vieux Soriba de n'avoir tenu que Solo dans le secret et ajoute qu'après deux heures d'entretien avec celui-ci, Doussouba lui a fait part de son consentement, aujourd'hui même.

Le Vieux Soriba se remémore les propos de Nogobri et soupire de satisfaction : « Un homme au crâne pelé veut te prendre quelque chose que tu aimes autant que le Père Kadri aime les arbres. » Il ne s'agissait donc que de ses ânes. « L'âne est mort, il ne pètera plus », sourit-il.

Daouda bout intérieurement avant d'éclater en une violente colère.

— Namori, es-tu devenu fou ? vocifère-t-il.

— L'amoureux sur le chemin qui conduit à la case de la femme aimée n'entend pas le grondement du tonnerre, opine Solo. Plus qu'un avertissement, il croit que le fracas du ciel est un appel : le rire de la femme aimée. Raisonner un homme amoureux est aussi vain qu'essayer d'atteindre le soleil au moyen d'un lance-pierres.

— La femme-du-quai-de la gare, c'est ainsi qu'on appelle Doussouba ! se fâche Daouda. Une femme qui se donne aux voyageurs, et moyennant paiement, dans une cabane qu'elle a

116

aménagée à cet effet ! Et c'est pour me parler d'un tel mariage que tu m'as dérangé ? Tu veux ternir ta réputation quand, aujourd'hui, à Kouta, tu es aussi influent que l'Imam et le commandant de Cercle ? Es-tu devenu fou ?

Il rassemble son boubou, chausse ses babouches et se lève pour prendre congé. Le Vieux Soriba, radieux, le retient par le bras et l'oblige à se rasseoir. Daouda obéit, mais tourne le dos à l'assistance comme pour se fermer à tous les arguments qui pourraient justifier un tel mariage.

— Considérons la situation avec sérénité, dit le Vieux Soriba. Certes on ne peut traverser à gué un fleuve aux courants dangereux. Mais il est toujours possible d'y puiser pour étancher la soif. Et c'est cela, la femme. Tous les hommes fougueux et entreprenants, ceux-là mêmes qui ont chevauché la vie, finissent par s'asseoir à côté des femmes pour les aider à décortiquer des arachides pour la sauce du lendemain. Et quand elles sont mécontentes de leurs services, elles grillent des beignets et demandent qu'ils se promènent d'une maison à l'autre pour les vendre. Les anciens ont dit : « Si ton ami veut acheter un cheval borgne ou bancal, mets-le en garde contre ce marché de dupes. Mais s'il décide d'épouser une femme-excusez-moi-du-peu, fais des bénédictions pour que ce mariage soit attaché. Et puis, au regard de notre religion, il est bien difficile de prouver la légèreté d'une femme. Doussouba a fait construire une cabane à côté de sa gargote, c'est vrai. Elle y reçoit des hommes, c'est aussi vrai…

— Dieu aime le vrai, coupe Daouda. Et même que moi-même, une nuit, parce que l'express tardait à venir…

— On ne peut avoir le passé, le présent et l'avenir d'une femme, le rabroue Namori.

— Me voilà donc pardonné, souffle Daouda.

Il sort son portefeuille, compte une liasse de billets et tend cinquante mille francs à Namori.

— Voici ma quote-part, dit-il. Que Dieu favorise ce mariage.

— S'il naît un garçon de cette union, il portera ton nom, promet Namori.

— Merci, dit Daouda. Merci beaucoup. Que Dieu confonde les hypocrites et les médisants qui essaieront de nous brouiller.

Il rassemble son boubou, chausse ses babouches et s'en va, les yeux brouillés de larmes.

— Qu'est-ce que j'ai dit ce matin ? triomphe Solo, s'adressant à Namori. Il ne faut jamais que Daouda sache ! Daouda doit tout ignorer, et à tout jamais.

*

Quelques jours plus tard, l'Imam attache le mariage et le soir même le maire reçoit les futurs époux avec les deux témoins, Daouda et Solo. Le Vieux Soriba s'était excusé, disant que pour avoir apposé son empreinte digitale sur un papier dont il ignorait la teneur et qu'on appelait « pétition pour Kompè », il avait été arrêté et incarcéré.

Solo n'a ménagé aucun effort pour donner à ce mariage tout l'éclat qu'il mérite. Et même les chrétiens de Bangassi se sont associés à la fête sous la conduite du Père Kadri en offrant, pour quote-part, cinquante poulets et trois barriques de vin rouge.

Bamba le crieur public, Bamba l'ivrogne dit que depuis le début des festivités, il est en face d'un homme qui lui ressemble comme une souris à une autre. Et que, comme ils sont deux à frapper sur le même tam-tam et de toutes leurs forces...

— Vous en avez déjà crevé une bonne dizaine ! exulte la foule.

Toutes les veuves, les femmes seules et sèches comme un nerf de bœuf, regardent Doussouba avec jalousie. Les autorités administratives, commandant de Cercle, chef de la gendarmerie, n'arrêtent pas de couvrir Namori d'éloges. Le gouverneur de région qui effectue une visite de routine à Kouta, lit un télégramme qu'il dit avoir reçu du Conseil National de Salut Public et signé de son président : « Le C.N.S.P. adresse ses sincères félicitations à Namori Coulibaly, boucher à Kouta, et lui exprime ses vœux chaleureux de bonheur et ses remerciements pour la part qu'il a prise dans la lutte contre les méfaits de la sécheresse. » Et Bamba, qui ponctue les compliments et les louanges d'un martèlement de tam-tam, n'arrête pas de maudire un homme qui boit la moitié de chaque gobelet qu'il porte à sa bouche. Fusillant Togoroko du regard : « C'est peut-être toi », dit-il enfin.

A la tombée de la nuit, c'est tout le village qui conduit Doussouba Camara à la case nuptiale, en chantant une chanson composée par Solo :

« Honte ! Honte !

Je dis honte

A ceux qui disaient

Que Doussouba ne trouvera plus un mari.

Confondus ! Confondus !

Les voilà confondus comme un voleur

Coincé entre les quatre murs d'une terrasse. »

Le lendemain, Tanga, la grande vedette de la chanson darakoise, descend de l'express avec tous ses musiciens. Et il donne un récital gratuit au Centre Culturel.

*

Après les festivités, les femmes se scindent en deux groupes. D'un côté, les partisanes de Namori et de l'autre, celles qui pensent que Doussouba l'a harponné.

« Il a montré le chemin du paradis aux autres hommes », disent les unes. Et les autres : « L'hyène et le chien sont de mauvais compagnons de route. » Et les partisanes de Namori : « Changez de rengaine, mes sœurs ! La même incantation et toute une nuit ? » Alors les adversaires de Namori, celles qui pensent qu'il a été bel et bien harponné : « Et voilà l'hyène et le chien... » Et les autres : « Pitié pour nos oreilles ! Votre langue connaîtra-t-elle la paix ? La même litanie, murmurée, et toute une nuit ? » Et celles qui pensent que la passion et l'orgueil, en s'alliant, ont égaré le jugement du boucher : « L'hyène et le chien en route pour un long voyage ?... » Alors les partisanes de Namori : « Nous seriner la même incantation et toute une nuit ? Pitié, mes sœurs ! Et sachez-le une fois pour toutes : lorsqu'un homme se remplit la bouche de farine sèche, c'est qu'il a assez de salive pour la mâcher. »

VIII

Et voilà que par tout Kouta, depuis la mosquée et le hangar maudit, le marché et jusqu'à Bangassi, la mission chrétienne, en passant par l'étal du boucher, on parle d'un ménage mal assorti. Et l'on s'étonne qu'il ait tenu plus de six mois.

Namori garde un silence prudent et significatif. Mais ses voisins affirment entendre, tous les soirs, des injures brûlantes comme le boucher avait coutume d'en proférer, suivies tout aussitôt de coups et de hurlements. Namori ne dit rien et ses frères de case se condamnent au silence. Seul Solo jette çà et là des sentences qui traduisent son mécontentement : « Nous avons acheté du cuivre pour de l'or. » Le village jase, se fatigue de jaser et la vie poursuit son chemin sur un cheval d'attente, car tout arrive à temps pour qui sait attendre. Louange à Allah, Le Très-Haut !

Un matin, on voit Doussouba — et c'est la confirmation — passer par le marché, couverte de blessures encore saignantes, suivie d'un portefaix chargé de ses effets personnels, se dirigeant vers la maison paternelle. Namori pleure et se coupe en désossant un gigot. Ses amis d'enfance accourent. Solo et Soriba sont inquiets. Daouda lève les bras au ciel comme pour demander : « Mes cinquante mille francs, ma quote-part a-t-elle été livrée aux flammes ? »

Alors les commères du village !...

« Nous l'avions dit : l'hyène et le chien, en route pour un long voyage ? On nous a répondu que l'homme qui se remplit la bouche de farine sèche a assez de salive pour la mâcher. Doussouba, de la farine sèche ? Oh, que non ! Doussouba, c'est du sable. » Et les autres, les partisanes du boucher-au-grand-cœur : « Pitié pour nos oreilles, ô ma mère ! Namori est un fleuve qui a changé de cours vers l'un de ses affluents dont il emportera toutes les alluvions, graviers, cailloux, boue, privant le sable de toute assise. »

L'Imam sait qu'il serait le plus grand perdant si ce mariage qu'il a célébré avec faste cassait. Il tente une réconciliation, évoque tous les versets du Coran susceptibles de convaincre Doussouba ; mais en vain.

Le Père Kadri prend la relève. Mais ses paroles trop mielleuses trahissent une joie intérieure : au temps de Dotori, Bertin ou Dimbourd, il n'aurait pas hésité à attirer les pires ennuis à ce boucher dont l'action a failli lui enlever quelques-unes de ses ouailles. Il l'aurait présenté comme un élément dangereux, un héros arraché à l'histoire de Darako et dressé comme une proue contre la religion catholique et l'œuvre civilisatrice de la colonisation.

Le commandant de Cercle essaie à son tour de régler le différend avec la complicité du juge de paix. Doussouba reste sourde à tous leurs arguments.

Le Vieux Magandian Camara se concerte dans l'ombre avec l'Imam, le commandant de Cercle, le juge de paix et tous les anciens. Aux conseils, supplications et menaces, Doussouba se bouche les oreilles. Elle se couche comme un âne accablé par une lourde charge et la longueur du chemin.

Daouda dit que le soleil s'est levé là où il avait précisément posé la main. Solo, d'habitude si calme, trahit une certaine nervosité. Et le Vieux Soriba se rend à Darako pour se ravitailler en tissus et en grains et pallier une rupture de stocks dont souffre son commerce.

Namori raconte, sans se lasser, sa passion pour Doussouba à toutes les ménagères qui viennent à son étal, jure qu'il ne s'agit là que d'un premier malentendu et promet qu'il sera le dernier.

Le Vieux Magandian Camara décide de faire asseoir la parole et demande à son gendre qu'il se fasse représenter par quelqu'un de son choix. Namori désigne Solo qui décline cet honneur. Consulté, Daouda se dérobe : « Ma langue est aussi lourde qu'une montagne, dit-il. Dans une assemblée de vieillards habitués à deviser toute la journée, je ferai piètre figure. Mes propos pèseront moins qu'une plume de mange-mil. »

Namori se sent trahi par ses frères de case. Une frayeur l'habite avant de l'envahir : « Si Doussouba parlait !... Ne disait-on pas qu'avoir

124

confiance en une femme, c'est manger avec un sorcier. »

On le voit alors parcourir Kouta, se parlant à lui-même, comme un fou. Et lorsqu'une oreille complaisante consent à l'écouter, il couvre Doussouba d'éloges et reconnaît ses torts. Son interlocuteur s'en va, se disant que la passion a dérangé l'entendement du boucher-au-grand-cœur.

Il envoie une cuisse de bœuf au Vieux Magandian par l'entremise de Sogoba. Son beau-père lui retourne son cadeau : « Il importe avant tout d'asseoir la parole », fait-il savoir.

Namori se lamente, seul à son étal : « Elle a parlé », se dit-il.

Il offre cent noix de cola aux anciens réunis à l'ombre de la mosquée et leur demande d'intercéder en sa faveur auprès du Vieux Magandian Camara. L'Imam les retourne : « Nous accepterons des cadeaux après la palabre, quand le grain sera séparé de la brisure, et la brisure du son », dit-il.

« Elle a parlé », pleure Namori qui achète un collier d'or filigrané chez Pathé Diagne, le bijoutier sénégalais récemment installé à Kouta. Doussouba accepte le cadeau et répond que le chemin qui conduit à la maison conjugale est encore trop broussailleux.

Alors les commères !...

« Casser une femme de partout et lui offrir un cadeau ? » Et les autres : « L'or, le métal précieux par excellence, dissipe tout malentendu.

En vérité, Namori a prouvé son amour et son regret. »

*

— Il ne faut pas que la parole soit assise ! dit Solo. Il ne le faut pas ! M'entends-tu ?

— Et comment l'éviter ? demande Namori.

— T'humilier ! conseille Solo. T'humilier et reconnaître tes torts.

— M'humilier ? Aujourd'hui, je suis l'homme le plus ridicule de Kouta, car j'ai tout essayé pour récupérer Doussouba.

— Alors, tombe plus bas que terre ! dit Solo.

— Et de quelle manière ?

— Va élire domicile dans le vestibule de ton beau-père et la parole ne sera pas assise. C'est là une astuce que le mari emploie pour condamner sa femme au silence en se chargeant de tous les torts.

— A quoi bon si elle a déjà parlé ? s'inquiète Namori.

— Nous en aurions eu des échos, dit Solo.

— Et que penseront les Koutanké ?

— Que tu es fou de Doussouba. Fou à lier ! Et ta femme, heureuse, parce que flattée, regagnera le domicile conjugal. N'aie aucun doute là-dessus.

— Non ! décide Namori.

— Si Doussouba révèle que, depuis un an, tu vends de la viande d'âne, alors, Namori, tu seras seul à endosser une telle responsabilité. Le Vieux Soriba ? Il n'a fait que te céder son trou-

126

peau. Daouda ignore tout. Et encore une fois, il ne faut jamais qu'il sache. Et moi, Solo, je jugerai sur tout ce qui est sacré, mon honneur, la tombe de mon père, le Livre Saint et tous les fétiches de Nogobri, que je ne savais rien. L'honneur et la cohésion du groupe sont entre tes mains. Et puis, soit dit en passant, tu n'as pas été correct avec le Vieux Soriba.

— Et pourquoi cela ? demande Namori anxieux.

— Tu lui as fait croire que sa jeune femme t'aimait et que tu allais la lui prendre.

— Et comment le sais-tu ? vocifère Namori.

— Par Nogobri lui-même. Un imposteur que j'ai installé à Kouta. Il fait mes volontés comme je fais les siennes ; et nous partageons l'argent qu'il vole en deux parts égales. C'est là une source fixe de revenus pour moi.

Il s'arrête pour donner à Namori tout le temps de méditer cette révélation. Puis il dramatise la situation et insiste sur les conséquences d'un débat auquel participeraient tous les anciens. Enfin il chauffe le ventre de Namori :

— Une fois la parole ouverte et l'excitation aidant, un secret est vite éventé.

— Au sortir de la prière de l'aube, j'irai élire domicile dans le vestibule de mon beau-père, dit Namori.

Solo souffle comme débarrassé d'une lourde charge.

— Arrête d'abattre des ânes pendant quelques jours, conseille-t-il.

— Et les Koutanké, et les pauvres, que penseront-ils de moi ?

— Que tu es trop préoccupé par toi-même pour t'intéresser à eux.

*

Le Vieux Magandian, en sortant de sa maison pour se rendre à l'ombre de la mosquée discuter avec ses pairs, voit un homme assis dans son vestibule, emmitouflé dans une couverture de laine. Il marque un arrêt. L'étranger murmure un bonjour. Il lui rend son salut et s'en va.

Le vestibule d'un honnête homme, un homme qui se réclame d'une bonne lignée, appartient à tout le monde. Les nécessiteux et les sans-abri peuvent y dormir. Mais investir le vestibule d'un honnête homme, c'est l'agresser, s'imposer à lui. Élire domicile dans le vestibule d'un homme qui se réclame d'une bonne lignée, c'est exiger le partage de son repas après avoir pris le gîte à la force du poignet.

Mais le vestibule, c'est aussi le symbole du secret, car la querelle qui le franchit appartient désormais à tout le village, à tout le pays. Et si vous avez investi le vestibule d'un honnête homme, un homme qui ne peut vous en chasser sous peine de déchoir, vous ne devez entrer dans sa maison qu'aux heures des repas, quand il envoie quelqu'un vous convier.

En rentrant, le Vieux Magandian Camara salue son hôte assis dans la pénombre et se

128

dirige vers sa terrasse. Puis il envoie quelqu'un convier l'étranger à partager son repas, selon la coutume, en homme de haute lignée. A sa grande suprise, le Vieux Magandian Camara se trouve face à Namori. Or c'est un usage bien établi que si le gendre peut manger avec son beau-père, il ne doit pas prendre une miette de ce qui a été préparé dans sa belle-famille. Et c'est jurer son honneur que de dire : « Si j'accepte de faire cela, eh bien, que j'arrache à ma belle-mère sa première poignée. »

Namori ne fait pas le détail. Il mange avec son beau-père, le remercie et retourne dans le vestibule. Le soir, celui-ci en informe ses pairs qui répondent qu'en agissant de la sorte, Namori a cassé toutes les traditions et qu'on ne peut asseoir la parole, puisqu'elle doit l'être dans le vestibule de Magandian.

Au crépuscule, Namori mange avec son beau-père, sans rien se dire, sinon des bénédictions après le repas.

Les jours passent, et Namori est toujours dans le vestibule du Vieux Magandian où on ne peut pas asseoir la parole. Et quelquefois, en mangeant, le beau-père se pince le nez comme s'il était agressé par une odeur de charogne. Et quand le convive retourne dans le vestibule, une de ses femmes accourt avec un encensoir fumant. Mais c'est là aussi chose courante dans une maison où l'on se réclame de bonne lignée que de chasser les mauvaises odeurs après le repas.

Un midi le beau-père se pince le nez, le front plissé et refuse de manger. Alors Namori prend conscience de son aspect extérieur : son boubou fut blanc, et quant à sa couverture... A celui qui vient le convier pour le repas du soir il répond : « Je suis rassasié. » Il se reproche de s'être présenté à sa belle-mère avec des habits si sales. Il passe une nuit sans manger. Il jeûne parce qu'il ne peut paraître devant ses beaux-parents.

Le lendemain, avant la prière de l'aube, il vient frapper à la porte du Vieux Magandian, nerveusement et avec insistance.

— Qui est-ce ? s'écrie le vieillard.

— Moi ! Moi-même ! fait une voix courroucée.

— Ton nom ! Donne-moi ton nom, réplique le Vieux Magandian Camara.

— Moi-même, Namori !

— De quelle famille es-tu ?

— J'ai nom Coulibaly.

— Namori Coulibaly, sourit le Vieux Magandian Camara, quel lien existe-t-il entre toi et moi pour que tu viennes frapper si tôt à ma porte ? Sommes-nous cousins à plaisanterie ?

— Non ! Je suis le mari de ta fille.

— Ma fille ? Excuse mon insistance, Namori. Des filles, j'en ai sept.

— Je suis le mari de ta fille Doussouba.

— Et que veux-tu, Namori ?

— Qu'on me donne ma femme tout de suite et sans palabres.

Le Vieux Magandian Camara sourit. Il

répond que le muezzin a déjà crié la prière et demande à Namori de retourner d'où il vient. En rentrant de la mosquée, il regarde son gendre avec émotion, réunit ses sœurs et cousines :

— Donnez à Namori sa femme et qu'il s'en aille de mon vestibule ! ordonne-t-il.

*

Alors les commères !...

Les unes disent : « De mémoire de vieille femme, quel bel exemple d'amour ! » Et les autres : « Elle l'a marabouté. Namori appartient à Doussouba qui tient son double. Qu'elle ordonne, et il se jettera dans la poussière pour s'y rouler et pleurer. » Et les unes : « Namori aime sa femme comme la bouillie adore qu'on l'assaisonne de miel. Namori et Doussouba ? Témou ! Témou ! Comme le miel et la bouillie. Et voilà que les jalouses à la langue-melekou-melekou veulent les séparer ! » Et les autres : « Eh nba* ! Amour ou folie ? Désormais c'est bien Doussouba qui posera sa jambe sur celle de Namori. Amour ou folie... le monde s'est-il retourné ? »

*

Doussouba regagne la maison conjugale, persuadée d'être la femme la plus en vue de Kouta,

---

* *Oh, ma mère !*

comme elle l'avait été dans sa société d'âge. Et tout concourt à le lui prouver. D'abord les louanges de certaines mégères et les critiques des autres. Et puis Namori a offert une grosse liasse de billets aux notables qui, dit-il, sont intervenus pour que la parole ne soit pas assise.

Le Vieux Soriba, revenu de Darako, donne un grand tam-tam où Doussouba paraît, vêtue d'un ensemble nouvelle mode. Elle jette un regard condescendant sur l'assistance tandis que Namori et Daouda distribuent de l'argent aux griots qui chantent ses louanges. Plus qu'une fête, c'est un second mariage.

L'abattage des ânes reprend. Et maintenant c'est Doussouba qui apporte à la mosquée les grands plats pour les pauvres, suivie par sa coépouse.

*

Quelques jours plus tard, alors que les uns célèbrent la belle fête qu'il a donnée pour honorer Doussouba et que les autres l'accusent d'avoir relégué sa première épouse pour se réconcilier avec la seconde, Namori convoque Daouda, le Vieux Soriba et Solo. Il leur fait part d'une nouvelle exigence de Doussouba qui veut qu'il répudie sa coépouse. Daouda éclate :

— Divorcer d'avec la mère de tes enfants pour une femme inutile et indisciplinée ? Une femme qui n'a plus que les intestins, et batailleuse comme la crête d'un coq ? Une femme qui

132

est passée par bien des lits ! Quand il s'agit de Doussouba, qu'on ne me dérange plus !

Il se lève et s'en va en maudissant cette passion que Namori porte à la femme-du-quai-de-la gare et souhaite que tous ses mauvais instincts se réveillent en même temps pour qu'enfin les yeux de son mari se dessillent.

— On ne peut pousser quelqu'un plus loin que le mur, dit Namori, la tête entre les mains.

— Réfléchis encore, opine Solo.

Le Vieux Soriba conseille à Namori de faire construire une maison à Ndatèkoumaro*, à l'orée du village, pour Doussouba qui ne supporte plus la cohabitation avec sa coépouse.

— Non ! répond Namori. Je me suis préparé au scandale. Qu'elle parle !

Il fait appeler sa première femme et hèle Doussouba. Elles arrivent en même temps. Namori leur ordonne de s'asseoir à une certaine distance. Il se concentre, visiblement à bout de nerfs, prêt à exploser comme un homme qui a enduré un long calvaire inutile.

— J'en ai fait des choses peu louables dans ma vie, dit-il. Pendant les douze années que j'ai passées loin de Kouta, j'en ai fait des choses affreuses. Pires que de vendre de la viande d'âne ou de couper les routes avec un arsenal de couteaux, de pics et de coutelas. Et de tout cela, que reste-t-il, sinon le secret gardé par une femme à qui j'ai pris vingt ans de son existence ? Et

* Littéralement : « Je ne me mêle de rien. »

j'aime cette femme plus que tout au monde. Oui, j'en ai désiré d'autres. Du temps de ma jeunesse...

Il prend un temps, puis explose :

— Et voilà qu'on me demande de chasser cette femme pour qu'elle aille grossir les rangs de celles qui se prostituent sur les quais des gares !...

Il se tourne vers Doussouba, et méprisant, crache un long jet de salive avant de partir d'un rire sarcastique.

— Autrefois, mon odeur « Namori-chargeur de viande » te retournait le cœur. Aujourd'hui, tu es ma femme : la femme du boucher. Un boucher qui vend de la viande d'âne à ton père. Serais-tu une bâtarde de Magandian Camara ?

Doussouba se tient la tête dans les mains, au bord des larmes.

— Serais-tu une bâtarde de Magandian Camara pour ne lui avoir jamais rien dit ?

— Non, murmure Doussouba, je ne dirai rien à personne.

— Parce que tu aimes les honneurs ? nargue Namori.

Il s'arrête avant de se laisser aller à un fou rire.

— En matière de kotèba, Daouda se défend-il mieux que moi ?

— Patiri sakana* ! s'écrie le Vieux Soriba.

— Nous en avons quelquefois discuté et som-

---

* *Exprime l'étonnement ou la frayeur.*

134

mes tombés d'accord que tu serais seule à trancher notre litige. Et si c'est à Daouda que va ta préférence, j'introduirai mon index gauche dans l'anus de ton père et de la main droite, je lui presserai les couilles à les écrabouiller pour le punir d'avoir engendré une bâtarde. Alors, ta mère, c'est moi qui...

— Paki*! fait Solo. Namori n'a pas changé ! Sa bouche est toujours aussi mauvaise.

Doussouba se lève en pleurant et se dirige vers la sortie. Namori se campe sur le seuil, la prend par le bras et lui assène de grands coups en hurlant de rage.

— Demain, tu iras voir l'Imam, dit-il.

— Demain, j'irai voir l'Imam, répète Doussouba.

— J'ai dit l'Imam !

— Tu as dit l'Imam !

— Et seulement l'Imam !

— Et seulement l'Imam !

— Et tu lui diras que depuis un an ton mari vend de la viande d'âne.

— Non ! sanglote Doussouba. Non, je ne le ferai pas.

— Tu veux que je fasse crier, demain matin, par Bamba que tu as couché avec Daouda, mon frère de case, et que si je meurs, tu ne dois pas porter mon deuil ?

— En ce cas, j'irai ! pleure la femme.

Le Vieux Soriba se retire en traitant Namori

___

* Cette interjection est très ambiguë.

de fou, promet de se rendre le lendemain à Darako et de continuer par l'express suivant pour Dakar.

— Innocent ! s'exclame Solo, les bras levés vers le ciel. Je suis innocent ; mais si des ailes me poussaient à l'instant même, je m'en irais très loin de Kouta et pour ne plus jamais revenir.

— Personne n'est innocent ! ricane Namori. Pas même l'Imam, car je suis un peu sa création. En me couvrant d'éloges chaque vendredi, ne m'a-t-il pas poussé à abattre davantage d'ânes ?

Solo se ravise, sourit et s'en va : « Namori a bien joué, se dit-il. L'Imam peut-il révéler que depuis un an toute la communauté musulmane, lui-même compris, mange de la viande d'âne ? En vérité, j'ai sous-estimé Namori. Voilà un homme qui ira loin. »

*

On répond à Doussouba que l'Imam s'apprête à se rendre à la mosquée et qu'il lui demande de revenir après la prière du salifana* ou mieux, à la tombée du jour.

— Il s'agit d'un problème urgent ! insiste-t-elle.

Le guide de la prière envoie un de ses disciples officier à sa place et reçoit Doussouba sous un hangar dressé au milieu de la cour, parmi les

---

* Prière entre quatorze et quinze heures.

enfants qui psalmodient les versets du Coran. La femme lui fait comprendre qu'une oreille plus attentive à leur conversation qu'à la déclamation des versets pourrait les entendre. L'Imam lui désigne la véranda de sa chambre à coucher et l'y rejoint, quelques instants plus tard, après avoir fouetté les enfants dont la voix n'était pas assez haute ; puis il vient s'asseoir près de Doussouba, à une distance qui impose le respect, mais permet qu'on s'entende.

— Ma conscience m'a grondée, dit Doussouba.

— C'est signe que tu en as une, approuve l'Imam. Te voilà à moitié déchargée. Alors parle pour qu'Allah sache que tu es de ceux qui Le craignent.

— Il s'agit de mon mari, commence la femme.

— Un homme bon, coupe l'Imam comme pour inciter Doussouba à la clémence au cas où elle aurait quelque grief. En vérité, Dieu t'a comblée de ses bienfaits en te donnant pour mari Namori Coulibaly. Il m'a ému en élisant domicile dans le vestibule de ton père. Qu'à l'avenir Dieu vous garde tous les deux des hypocrites et des mauvaises langues.

La femme hésite. L'estime que l'Imam porte à son mari la flatte autant que les louanges des griots. Elle se dit qu'il ne faudrait pas révéler son forfait, que l'Imam, déçu, en aurait du chagrin. Mais elle se souvient des injures de Namori, de son rire sarcastique et de sa volonté d'être dénoncé comme s'il voulait lui-même avouer son crime et se faire pardonner.

Doussouba croque toute une noix de cola pour se donner du courage tandis que l'Imam attend sans manifester le moindre signe d'impatience. Il est habitué aux longues palabres, aux silences méditatifs. Il se dit que Doussouba n'a pas trouvé le fil de sa narration, qu'elle en a lourd sur le cœur. Et l'Imam est tout pénétré de cette confession...

— Mon mari n'est peut-être pas tel que l'erreur le présente à tes yeux, dit-elle enfin. Douze années de son existence sont confiées au mystère.

— Ces douze années passées à l'étranger lui appartiennent : un homme est ce qu'il est, non ce qu'il était. De retour parmi nous, je reconnais qu'il a quelque peu troublé l'ordre. Mais par la suite, il s'est amendé. Comment oublier ce bel exemple de bonté en ces temps de sécheresse ? En vérité, Namori Coulibaly me rappelle Siriman Keita qui, après une vie agitée, est revenu à Dieu, simplement, comme l'on va à la fontaine.

— J'atteste par Dieu que Namori n'adore Dieu que du bout des lèvres, dit Doussouba.

— C'est une accusation grave, réplique l'Imam. Et c'est aussi un serment. La jalousie t'aveugle-t-elle ? En effet, la rumeur publique à laquelle je ne puis me soustraire m'a colporté que tu supporterais mal ta coépouse. Or une musulmane doit vivre en parfaite harmonie avec les autres femmes de son mari.

— Maître, maudit Doussouba, Namori est voué aux dix-neuf anges chargés d'attiser les feux de l'enfer.

— Astafurulaye ! s'effraie l'Imam, en baissant la tête, les mains grandes ouvertes comme s'il se prosternait. Astafurulaye ! Donne-moi les raisons que tu as de prédire une telle malédiction.

— La viande de l'âne est-elle licite, maître ?

L'Imam regarde la femme avec une inquiétude qu'il ne peut maîtriser.

— Illicite ! dit-il sur un ton péremptoire. Illicite, sauf la viande de l'âne sauvage. Or il n'y en a pas dans notre région. L'interdiction de manger l'âne, qui vit parmi les hommes et porte leurs fardeaux, est consignée non dans le Coran mais dans les hadiths.

Doussouba hésite et l'Imam attend. Sa curiosité éveillée, il trahit une certaine impatience.

— Eh bien, dit enfin la femme, depuis un an, c'est de la viande d'âne que Namori offre sur le marché avec la complicité du Vieux Soriba et de Solo.

— Et Daouda ? s'inquiète l'Imam.

— Ils l'ont tenu en dehors de cet acte impie parce qu'il est trop sensible à tes sermons.

L'Imam souffle : « Il ne faut pas que Daouda sache, murmure-t-il. Il ne le faut pas. » Il se lève en gardant tout son sang-froid et s'en va sous le hangar prendre son Coran.

— Ma fille, dit-il, jure sur Le Livre Saint, la

139

Parole de Dieu, que tu ne feras part de ce crime à personne d'autre.

Doussouba prête serment, et l'Imam la congédie.

— Que Dieu te bénisse, dit-il. Et si tu es prise de remords pour avoir menti, alors reviens me voir, demain, à midi.

Il regagne le hangar. Ses disciples et les élèves s'aperçoivent qu'il est préoccupé et comme absent. Mais il retrouve sa disponibilité coutumière, après une longue méditation dans une case qui lui sert de lieu de retraite.

*

Le lendemain, l'Imam fait égorger un mouton dans le plus grand secret. Il demande à ses femmes de préparer un repas pour deux hôtes de marque. Il donne congé à ses disciples et ordonne aux élèves de se rendre dans les collines avoisinant Kouta, chercher du bois mort.

Namori et Solo arrivent, conviés à manger par l'Imam. Et tous les Koutanké pensent qu'il s'agit de trouver un arrangement entre Namori et Doussouba que tout le monde avait vue, la veille, regagner la maison conjugale en pleurant.

L'Imam découvre le plat.

— Bissimilaï ! dit-il. La viande de mouton a une odeur particulière.

— Bissimilaï ! reprend Solo. Nous savions qu'après les révélations de Doussouba tu ne pouvais pas nous servir de la viande d'âne, bien

140

qu'elle ait sauvé tant de vies humaines à Kouta.

— C'est du mouton ! jubile l'Imam.

Namori pleure en se mordant le poing. Solo lui conseille de maîtriser ses nerfs et de considérer la situation avec sérénité.

— Maître, je n'apprécie guère cette mise en scène, dit Namori. Venons-en au fait !

— Doussouba a-t-elle dit la vérité, mon fils ?

— Oui, maître.

— Tu as commis une faute très grave. Plus qu'un péché, c'est un crime.

Namori se met à rire, les yeux rivés sur l'Imam qui, pris de frayeur, baisse la tête.

— On peut toujours se racheter, dit le boucher.

— Ce crime ! menace l'Imam. Ce crime...

— Je dis qu'on peut toujours expier une faute. Et c'est moi qui le dis. Moi, Namori Coulibaly qui pendant un an ai nourri tous les pauvres de Kouta. Moi, le mari d'une ancienne prostituée. N'as-tu pas béni ce mariage, bien que la prostitution soit condamnée par Dieu et son Prophète.

— Ce crime, reprend l'Imam...

— Je me suis enrichi, nargue Namori. Et pour expier cette faute que tu qualifies de crime, j'offre la moitié de mes biens aux pauvres que j'ai habitués à un repas par jour.

— Je ne puis accepter, se lamente l'Imam. Non, je ne puis accepter.

— Alors, vendredi prochain, après la grande prière, je dirai publiquement : « Depuis un an tous les musulmans de Kouta ne mangent que de la viande d'âne. » Et s'ils ne me croient pas, je ferai exposer les têtes et les pattes.

— Ils seront tourmentés pour le reste de leur vie, s'effraie l'Imam. Il ne faut pas tourmenter ceux qui croient et dont les cœurs s'apaisent à la pensée de Dieu.

— Je ne suis qu'un commerçant, rétorque Namori. Aussi le marché est entre tes mains. Ou bien tu annonces vendredi prochain, après la grande prière, que je donne la moitié de mes biens aux pauvres parce que le bétail est décimé, ou bien je parle. La quiétude des musulmans de Kouta dépend de toi.

— Il ne faut pas tourmenter ceux qui croient et dont le cœur s'apaise à la pensée de Dieu, pleure l'Imam. De grâce ! N'en dites rien à Daouda.

Et tandis que l'Imam sanglote, Solo entonne la chanson des pauvres, le titre d'honneur de Kouta pour célébrer la victoire de Namori :

« S'asseoir à l'ombre de la mosquée de Kouta,

C'est s'assurer au moins un repas par jour ;

Louange à Dieu, Le Très-Haut ! »

*

Le vendredi, après avoir guidé la prière, l'Imam demande à tous les fidèles de lui prêter un moment d'attention. Il prend son temps pour mettre de l'ordre dans ses pensées, les yeux fixés au sol. Puis il se lève, les bras croisés, récite la Fatiha que chacun reprend à sa demande. Des larmes perlent le long de ses joues. Il se rassied et pleure publiquement. Les fidèles gardent un silence mêlé de curiosité et d'angoisse. L'Imam se met debout à nouveau, soutenu par deux de ses disciples : « Non, je ne peux admettre qu'on tourmente ceux qui croient et dont les cœurs s'apaisent à la pensée de Dieu. Il me faut donc mentir pour sauver la communauté qu'Allah et Son Prophète m'ont confiée », se dit-il.

Un murmure parcourt la foule, et Namori attend impassible. Solo se dit que l'Imam, au prix d'une nuit d'insomnie et de méditation, a trouvé une astuce pour jeter l'anathème sur Namori et rassurer la communauté musulmane.

Et voilà que l'Imam fait venir Namori qui a perdu de son assurance.

— Cet homme ! dit-il…

Il s'arrête de parler et sourit.

— Les animaux ont disparu, reprend-il. Désormais, décimés ! bœufs, moutons et chèvres. Cet homme qui a coutume d'offrir un repas par jour aux pauvres m'a demandé d'accepter la moitié de ses biens pour que les plus défavorisés continuent de bénéficier d'un repas par jour, à l'ombre de notre mosquée. J'accepte pour sauver la communauté musulmane. Mieux !… j'ai retenu les élans de cet homme qui aurait pu — bonté ou orgueil — disloquer notre communauté. Au lieu de la moitié, je gérerai donc le tiers des biens de Namori Coulibaly au profit des nécessiteux, cela en conformité avec la loi musulmane.

Personne ne comprend la nuance que l'Imam a introduite dans son discours, sauf Solo qui entonne la chanson des pauvres, reprise tout aussitôt par tous les fidèles comme une sourate du Livre Saint.

Daouda se lève, les yeux brouillés de larmes, et offre cinquante mille francs pour soutenir l'action de son frère de case. Tous les riches commerçants imitent son exemple. Et Namori regagne sa maison, porté en triomphe par les pauvres de Kouta tandis que l'Imam s'achemine vers la sienne, se parlant à lui-même : « Que Dieu me pardonne ! J'ai agi au mieux pour sauver Ses zélateurs de l'angoisse. »

IX

On ne voit plus Namori à son étal comme si cette odeur de sang coagulé qu'il a traînée toute sa jeunesse lui était revenue. Il ne vient que rarement s'assurer que Bilal et Sogoba ont effectué leur tâche et que le vendeur donne la bonne mesure : la viande plus lourde que le poids. Puis il retourne dans son vestibule qui est devenu un lieu couru. On peut y manger aux heures des repas et repartir avec de quoi subvenir aux frais de condiments pour le lendemain.

Après la prière du lagansara, Namori reste à l'ombre de la mosquée dans le groupe des anciens où seul l'Imam lui réserve un accueil peu chaleureux. Et ceux-ci, sans rien dire, s'étonnent du peu d'estime que le guide de la prière porte au boucher qui, après avoir nourri les pauvres pendant un an, vient de leur offrir le tiers de ses biens.

Le Vieux Magandian Camara, flatté d'avoir un gendre si prestigieux et revenu au premier plan à Kouta, sonde l'Imam qui répond que sa charge lui commande d'exclure Namori de ses relations, tout en lui reconnaissant toutes les qualités dignes d'un bon musulman.

Dès que Namori paraît dans le groupe des anciens, l'Imam prend congé, prétextant une obligation urgente. Et c'est toujours en détournant la tête qu'il serre la main du boucher.

Alors la rumeur publique...

Solo colporte çà et là que l'Imam a pris ombrage de la popularité de son frère de case. Le Vieux Soriba, sans accuser celui qui fut son maître, garde un silence que l'on peut interpréter comme une confirmation des propos de Solo. Et puisque l'Imam refuse de donner les raisons qu'il a de tenir Namori hors de ses relations, les anciens eux-mêmes se convainquent que la jalousie entre pour une large part dans l'altération de leurs rapports.

Namori se cloître, et à chacune de ses sorties il est assailli par les pauvres. Et lorsqu'on rapporte ses largesses à l'Imam qui, autrefois, l'a couvert de tant d'éloges, celui-ci garde un silence méprisant.

Et le village jase !...

Doussouba suit l'exemple de son mari : on ne la voit plus qu'à la grande prière du vendredi, ou en route pour la maison paternelle suivie de toute une cour d'amies. Aux questions de son père à propos des mauvais rapports entre l'Imam et son mari, elle se contente de sourire comme pour accréditer la rumeur publique : l'Imam jaloux de Namori. Le Vieux Magandian interpelle le guide de la prière, publiquement, à l'ombre de la mosquée.

— Un bon musulman a le devoir de faire connaître les griefs qu'il nourrit contre un autre fidèle, dit-il.

L'Imam considère cette mise en demeure comme une injure à sa charge et se retire sous le regard accusateur de tous les anciens. Et désormais ils sont nombreux à déserter l'ombre de la mosquée.

*

Un événement, cependant, choqua l'Imam au point qu'il ne put réprimer une certaine amertume...

Tous les matins, Bamba, le crieur public, venait à l'étal de Namori. Les bras au ventre, il se roulait par terre et poussait un râle d'agonie : « Mes poumons ! gémissait-il. Ça me tient aux poumons. Mon foie !... Je ne sais ce qui pince mon foie et le grignote telle une souris, une boule d'arachide. Ah ! mes intestins... Quelque chose s'y est introduit ; et comme un serpent, il rampe — dogofré* ! — vers mon anus. Mais si je suis bien malade, je connais parfaitement mon remède : au « Saint Trou », à l'heure qu'il est, les bières au cou blanc comme des rayons de lune, sanglées dans leurs ornements de ceinture, pleurent, — ndeïssane ! —, couvertes de buée. Grelottantes de froid, elles supplient : « Mais enfin, venez ! Venez donc ! Venez nous boire ! » Puis elles se mettent à maudire ce walaha* portant la consigne : « Payer avant de consommer ». Et voilà-t-il pas qu'elles sont noyées dans des crues causées par la buée et par leurs larmes, tandis que Jean Baptiste, le patron des lieux, pointe l'index sur ce walaha qui sert — aïe ! — de barrière entre elles

* *Exclamation exprimant la douleur.*
* *Tablette qui sert d'ardoise à l'école coranique.*

et ceux qui ont soif et qui tâchent de s'apaiser, saisis d'une colère impuissante. Et voilà-t-il pas que les bières, toutes reines, toutes belles, tout en larmes, se révoltent — pentenkelen*! — contre ce walaha qu'on surprendra — bilaï*! walaï! — au cou de Jean Baptiste avant de le jeter dans les flammes de l'enfer. Et voilà-t-il pas que — guidi*! — Jean Baptiste se fâche, disant : « Le grenier regorge de mil. Mais pour y prendre un sac, un kilo, une poignée et même un grain... » Et voilà-t-il pas que ceux qui ont — Dieu l'a voulu ainsi ! — le gosier en pente et l'intestin très long, s'en vont, poursuivis par les sanglots déchirants des bières, toutes belles, toutes reines, tout en larmes : « La pauvreté — Ah, Allah ! — est sans pitié puisqu'elle sépare l'amante de l'aimé. Ne partez pas, amis ! Ne nous abandonnez pas ! Que ne venez-vous pas mettre fin à notre supplice ! » Et qu'est-ce qu'elles disent, en ce temps-là, les bouteilles de vin rouge ! Voilà ce qu'elles disent, en versant des larmes de sang sur les bières. Eh bien, elles disent : « Gassara marak ! — que Dieu raccourcisse la vie de Jean Baptiste. »

Namori lui donnait de quoi acheter une bière ou un litre de vin rouge au « Saint Trou ». Puis Bamba dansait, parcourant le village, suivi des femmes et des enfants qui battaient des mains.

— C'est manière de mécréant que de boire de

---

* Interjection qui exprime que l'action est soudaine.

* Je le jure par Dieu.

* Interjection voulant dire que l'action est violente.

l'alcool, de le vendre ou de l'offrir, dit un jour l'Imam.

Quelqu'un, probablement le Vieux Magandian Camara, avait rapporté ces propos à Namori. Le lendemain, au lieu de se rouler par terre comme il en avait l'habitude :

— Fais des bénédictions afin que je ne boive plus, dit Bamba à Namori.

— Celles de l'Imam seraient plus efficaces.

— Peux-tu au moins me donner des conseils ?

— Oui, répondit Namori. Chaque fois que tu portes un gobelet à tes lèvres, dis : « Je peux me passer du vertige que procure l'alcool. »

Bamba ne changea rien à ses habitudes. Après avoir crié les messages des notables et ceux du commandant, il se rendait au « Saint Trou », achetait un litre de vin rouge ou une bière et, au moment de porter son verre à ses lèvres : « Je peux me passer du vertige que procure l'alcool », disait-il.

Il offrait son litre de vin ou sa bière à ses compagnons de bistrot et se rendait chez Namori.

— Aujourd'hui encore, disait-il, j'ai remporté une victoire sur mon ennemi.

Les jours passèrent, les mois aussi...

Un vendredi, Bamba était venu à la mosquée, paré de ses plus beaux habits, en compagnie de Namori. Dans son sermon, l'Imam parla de cette conversion, sans chaleur et sans en attribuer le mérite au gendre de Magandian Camara, ce qui étonna tous les fidèles. Namori demanda alors la parole.

— Mon intention était de me rendre à la Mecque cette année, dit-il. Mais j'ai préféré y envoyer Bamba qui effectuera le pèlerinage à ma place, car je me sens très fatigué. Peut-être me rendrai-je moi-même aux Lieux Saints une autre année ? Peut-être jamais ?

L'Imam fit mine de n'avoir rien entendu, prit son parasol et sortit de la mosquée sans serrer la main aux fidèles qui sollicitaient sa bénédiction.

*

Namori disparaît. Des bruits courent çà et là. On le dit malade et on ajoute que ses jours ne sont pas en danger. Consultés, Daouda, Solo et le Vieux Soriba démentent : « Une fièvre, rien qu'une fièvre. »

On voit souvent N'godè, l'infirmier, se diriger vers la maison de Namori avec une trousse. A ceux qui l'accablent de questions, il répond que dans le corps médical, même un infirmier est tenu au secret professionnel. Mais à ses amis, il dit Namori mourant, atteint d'une maladie incurable : la toux-sèche-des-Blancs qui grignote les poumons.

Le village s'empare de la nouvelle : « La toux-sèche-des-Blancs ? C'est la pelle et la pioche. Et seuls les Blancs peuvent en triompher. Peut-être quelque féticheur, quelque méchant marabout... »

150

Encore quelques jours...

On apprend que Daouda, le Vieux Soriba et Solo sont au chevet de leur frère de case.

Un matin — et c'est la confirmation — au lieu de N'godè, l'infirmier, c'est le médecin Moussa Sissoko lui-même qui vient voir Namori. Il est tout aussitôt suivi par l'Imam qui regagne la mosquée une heure plus tard !

Alors la médisance !...

Certains lui trouvent une mine trop épanouie pour quelqu'un qui vient de rendre visite à un malade qu'on dit très affaibli. On parle de sortilèges, de jeteurs de sorts, de versets et de sourates psalmodiés quarante fois pendant quarante nuits de retraite.

A la grande prière du vendredi, Doussouba ne cesse de dire que son mari reprend des forces et que bientôt on le reverra à la mosquée, à son étal et parmi les pauvres qui s'inquiètent de son état de santé. Aux accusations de mauvais sort jeté par un ennemi jaloux de la renommée de Namori, elle répond que les féticheurs et les méchants marabouts ne peuvent rien contre son mari, car la bonté a un pouvoir magique sur les sortilèges.

*

Dans la chambre de Namori, Solo raconte des histoires qui ne dérident personne ; et l'atmosphère est lourde.

Un matin, alors que Daouda le regarde

151

comme pour lui dire adieu, Namori se lève au prix d'un effort surhumain, ouvre une malle et en sort une grande pièce de percale. Et s'adressant à ses frères de case :

— Je vous prie, dites-moi si le compte est bon.

Et tandis que Daouda pleure, le Vieux Soriba dénombre sept coudées, juste ce qu'il faut pour ensevelir un mort. Mais quelques jours plus tard, Namori se lève, vient à son étal et fait le tour du village suivi des pauvres qui crient au miracle. Puis il se rend à la mosquée et offre des noix de cola aux anciens qui ont formulé des vœux pour qu'il se rétablisse ; il s'abstient d'en donner à l'Imam. De retour chez lui, il s'écroule en franchissant le seuil de son vestibule, sans connaissance.

Le village est vite alerté par les cris de Doussouba et de sa coépouse. Des cris perçants qui trouent le silence de midi. Le médecin accourt et constate l'arrêt du cœur. Daouda ordonne la toilette mortuaire et va annoncer la mort de Namori à l'Imam qui délègue l'un de ses disciples pour dire la prière des morts sur le défunt. La foule conspue celui-ci, est prête à le lyncher et le somme d'aller chercher son maître. L'Imam arrive alors ; on lui demande pourquoi il a désigné quelqu'un quand il s'agit d'enterrer un homme qui a nourri les pauvres et accompli tous les devoirs qui incombent à un bon musulmam, et même le pèlerinage par procuration. Il garde un silence hautain et murmure plus qu'il ne prononce les paroles rituelles sur le corps de Namori. La moitié de la foule s'indigne.

— Namori sera-t-il enterré comme un chien ? se lamente Daouda.

L'Imam déclame alors la Fatiha, puis la paix du Prophète et termine en faisant des bénédictions pour que Dieu reçoive Namori parmi les élus. Le cortège funèbre se met en route pour le cimetière, derrière le quartier Ndatèkoumaro. Là, tous les pauvres sont rassemblés et ordonnent à la foule de rebrousser chemin. Ils envoient un délégué dire à l'Imam qu'ils sollicitent une place pour Namori Coulibaly dans la mosquée, à la droite de Siriman Keita.

— Les usages de notre communauté interdisent d'enterrer un musulman dans une mosquée, répond l'Imam.

— Et pourtant, cela a déjà été fait à Kouta, et sur ton ordre, rétorque le délégué des pauvres.

— En vérité, j'en répondrai devant Dieu, au jour du jugement dernier, réplique l'Imam. Mais je ne peux consentir un tel honneur pour Namori Coulibaly.

Informés du refus de l'Imam, les pauvres et les mendiants hurlent :

— Vous ne passerez pas !

L'Imam envoie l'un de ses disciples prévenir le commandant de Cercle. On tente une intimidation en faisant intervenir un détachement de gendarmes. Pas un seul mendiant ne cède un pouce de terrain.

— C'était là tout ce que je pouvais faire, répond le commandant au second messager de l'Imam. La République de Darako est un État laïc.

Indignés, Daouda et Kompè passent du côté des pauvres. Le Père Kadri accourt offrir ses bons offices pour trouver une solution qui satisfasse les pauvres et le cortège funèbre. On le récuse.

— Tu es un Koutanké et un vrai, dit l'Imam. Mais tu n'appartiens pas à la communauté musulmane.

— Un poulet ne doit pas s'immiscer dans une querelle qui oppose deux couteaux, menace Solo, sinon il risque fort de se faire trancher le cou.

— Bon Dieu de Bon Dieu ! s'énerve le Père Kadri. L'homme de bien que fut Namori Coulibaly appartient à tout le monde. Il a nourri les pauvres, qu'ils soient musulmans, chrétiens ou mécréants. Et si vous n'arrivez pas à un accord, nous autres chrétiens, nous vous ravirons son corps pour l'enterrer derrière notre chapelle. Que l'Archevêque écrive au Pape ! Qu'il m'accuse de zèle, de surenchère religieuse et d'hérésie ! Peu m'importe ! J'ai déjà rédigé ma réponse pour clouer le bec à ce politicien.

Il enfourche sa bicyclette et s'en va à vive allure.

Après discussions et concertations, injures et coups, on accepte la médiation de Solo. Il fait comprendre aux pauvres et aux mendiants qu'il

154

connaît certains épisodes de la vie de Namori, son ami d'enfance, qui justifient le refus de l'Imam, et dit à celui-ci qu'en ordonnant qu'un ancien militaire, un homme dont le métier était de tuer d'autres hommes, soit enterré dans la mosquée, il a pris une grave responsabilité.

— Toute sa vie, Namori n'a fait qu'abattre des animaux, conclut-il. Quelquefois, il a égorgé des veaux et des agneaux, ce que je retiens à son passif. Mais le concernant, Dieu vient de s'exprimer par la bouche des plus défavorisés.

— Qu'on l'enterre donc dans la mosquée, à la gauche de Siriman Keita, concède le délégué des pauvres.

— Non ! répond l'Imam sur un ton ferme.

Solo leur demande alors de s'asseoir à l'ombre d'un arbre et de discuter, tandis que le cortège funèbre attend sous un soleil torride.

— Un mort bien encombrant ! crient quelques-uns, assoiffés.

— Vous ne passerez pas ! hurlent les pauvres et les mendiants. Voulez-vous que nous vous apportions de l'eau, en abondance, comme ces oasis qui attendent Namori pour avoir aimé les plus défavorisés ?

— Encore quelques heures sous ce soleil de plomb, et votre saint, nous l'enterrerons en état de putréfaction ! narguent les disciples de l'Imam.

— Mais il est déjà monté au ciel, sur un cheval aux ailes d'air et de feu, répond Kompè.

Solo laisse l'Imam et le délégué des pauvres

s'opposer pendant plus de cinq heures, et jusqu'au crépuscule, l'issue de la négociation paraît incertaine.

Et voilà que le Père Kadri marche à la tête de ses paroissiens, armés de gourdins et de barres de fer. Et ils profèrent des menaces, décidés à s'emparer du corps de Namori. Alerté par l'Imam, le commandant de Cercle répond à nouveau que la République de Darako est un État laïc et qu'il ne peut pas intervenir sans en référer au gouverneur de région qui à son tour devra consulter le ministre de l'Intérieur et celui-ci, le Président de la République.

Une pierre lancée par une fronde tombe au pied de l'Imam. Il fait un écart en arrière, regarde ses disciples qui se cachent dans la foule, apeurés.

— Tenaillés par la faim, assoiffés comme une chèvre qui ne peut même plus bêler, nous ne ferons pas le poids face à ces cafres de chrétiens repus comme des porcs, se lamente Birama l'Applaudisseur. Il faut dire la vérité à l'emporte-gueule, eh bien, face aux troupes du Père Kadri, nous ne pèserons pas plus lourd qu'un pet d'âne. Et puis, cette querelle entre musulmans n'a que trop duré.

— Ce que dit l'Applaudisseur est aussi vrai que de mémoire de vieux Koutanké on n'a jamais vu une chèvre mordre un chien, lance Kompè. C'est la sagesse qui a parlé par la bouche de Birama.

— La sagesse même ! hurle Daouda.

— Et qui incarne la sagesse à Kouta ? demande Solo.

— L'Imam ! crie la foule.

Solo suggère alors que Namori soit enterré dans la cour de la mosquée. Les pauvres et les mendiants saluent cette proposition par des cris de joie et le cortège funèbre fait pression sur l'Imam qui s'incline, de mauvaise grâce, les yeux brouillés de larmes.

Et voilà les chrétiens, qui savourent leur victoire, en compagnie des musulmans sur le chemin du retour, en direction de la mosquée, Daouda, Kompè et le Père Kadri ouvrant la marche. On s'amuse de l'absence du Vieux Soriba qui a si peur de la mort qu'il n'assiste jamais aux enterrements. Certains accusent l'Imam de jalousie, et d'autres parlent de quarante versets et sourates psalmodiés pendant quarante nuits sans lune pour saisir le double d'un ennemi...

*

Le vendredi, après la grande prière, le Vieux Soriba, Solo et Daouda viennent se recueillir sur la tombe de Namori, parmi les pauvres. Et tandis que Daouda pleure :

— Il dort avec un grand secret, dit le Vieux Soriba.

— Oui, reprend Solo. Il dort avec un grand secret. Un secret qu'il n'a confié qu'à très peu de gens.

— Mais lequel ? demande toujours Daouda. Lequel ?

— Interroge l'Imam qui te tient en haute estime, répond le Vieux Soriba.

— Oui, renseigne-toi auprès de l'Imam, dit Solo avec un sourire moqueur. Il est le garant de ce secret et nous, les dépositaires.

Et Daouda pleure de plus belle, se demandant pourquoi Namori, son ami, son frère de case, son plus-que-frère, l'a exclu de ce grand secret.

Dakar 6 avril - 10 mai 1981.

COLLECTION MONDE NOIR POCHE

1 - Prisonnier de Tombalbaye, d'Antoine BANGUI (Témoignage).
2 - Le coiffeur de Kouta, de Massa Makan DIABATÉ (Roman).
3 - Les frasques d'Ébinto, d'Amadou KONÉ (Roman).
4 - Longue est la nuit, de TCHICHELLE TCHIVÉLA (Nouvelles).
5 - Le respect des morts, d'Amadou KONÉ (Théâtre).
6 - Le fort maudit, de Nafissatou DIALLO (Roman).
7 - La carte d'identité, de Jean-Marie ADIAFFI (Roman).
8 - Les jambes du fils de Dieu, de Bernard B. DADIÉ (Nouvelles).
9 - Anthologie africaine d'expression française, de Jacques CHEVRIER (Volume I : Le roman/la nouvelle).
10 - Femmes en guerre, de Chinua ACHEBE (Nouvelles).
11 - La parenthèse de sang, de SONY LAB'OU TANSI (Théâtre).
12 - L'étudiant de Soweto, de Maoundoé NAÏNDOUBA et Trop c'est trop, de Protais ASSENG (Théâtre).
13 - Jazz et vin de palme, d'Emmanuel BOUNDZÉKI DONGALA (Nouvelles).
14 - Ma Mercedes est plus grosse que la tienne, de Nkem NWANKO (Roman).
15 - Le boucher de Kouta, de Massa Makan DIABATÉ (Roman).
16 - La danseuse d'ivoire, de Cyprian EKWENSI et autres nouvelles.
17 - Cycle de sécheresse, de Cheikh C. SOW (Nouvelles).
18 - Anthologie africaine d'expression française, de Jacques CHEVRIER (Volume II : Contes et récits traditionnels).

COLLECTION MONDE NOIR

Le lieutenant de Kouta, de Massa Makan DIABATÉ (Roman).
L'odyssée de Mongou, de Pierre SAMMY (Roman).

Achevé d'imprimer sur les presses de
Maury-Imprimeur S.A. – 45330 Malesherbes
N° d'imprimeur : B84/14474
Dépôt légal : 6922 – Février 1984

Imprimé en France